UM EVANGELHO DE ESPERANÇA

UM EVANGELHO DE ESPERANÇA

—

WALTER BRUEGGEMANN

compilado por Richard Floyd

Traduzido por Susana Klassen

Copyright © 2018 por Walter Brueggemann
Publicado originalmente por Westminster John Knox
Press, Louisville, Kentucky, EUA.

Os textos das referências bíblicas foram extraídos da
Nova Versão Transformadora (NVT), da Editora Mundo
Cristão (com permissão da Tyndale House Publishers,
Inc.), salvo indicação específica.

Todos os direitos reservados e protegidos pela Lei
9.610, de 19/02/1998.

É expressamente proibida a reprodução total ou
parcial deste livro, por quaisquer meios (eletrônicos,
mecânicos, fotográficos, gravação e outros), sem prévia
autorização, por escrito, da editora.

Edição
Daniel Faria

Revisão
Natália Custódio

Produção e diagramação
Felipe Marques

Colaboração
Ana Luiza Ferreira

Capa
Jonatas Belan

Fotos de capa
Raphael Renter, Diego PH,
Kenrick Mills, Andrej Lisakov,
Szabo Viktor, Jacob Bentzinger
e Joshua Bartell (Unsplash);
Igor Alecsander (iStock).

CIP-Brasil. Catalogação na publicação
Sindicato Nacional dos Editores de Livros, RJ

B914e

    Brueggemann, Walter
      Um evangelho de esperança / Walter Brueggemann ;
compilado por Richard Floyd ; tradução Susana Klassen. -
1. ed. - São Paulo : Mundo Cristão, 2020.
      176 p. ; 21 cm.

    Tradução de: A gospel of hope
    ISBN 978-65-86027-02-0

      1. Vida cristã. 2. Fé. 3. Esperança - Aspectos religiosos -
Cristianismo. I. Floyd, Richard. II. Klassen, Susana. III. Título.

20-64062

                    CDD: 234.25
                    CDU: 27-423.79

Publicado no Brasil com todos
os direitos reservados por:

Editora Mundo Cristão
Rua Antônio Carlos Tacconi, 69
São Paulo, SP, Brasil
CEP 04810-020
Telefone: (11) 2127-4147
www.mundocristao.com.br

Categoria: Espiritualidade
1ª edição: julho de 2020
1ª reimpressão (impressão digital): 2025

Sumário

Prefácio 7

1. Fartura e generosidade 13
2. Mundos alternativos 25
3. Ansiedade e liberdade 39
4. Fidelidade de Deus e nossa 53
5. Jesus 65
6. Justiça 74
7. Identidade evangélica 87
8. Amor ao próximo 103
9. Novidade e esperança 113
10. Testemunho público e responsabilidade 133
11. Rendição 145
12. Práticas fiéis 160

Prefácio

Há certa audácia em reunir nossas palavras de tempos idos e reapresentá-las. Ao reler minhas palavras de outrora, parece-me que há certa audácia em seu primeiro pronunciamento. Nelas, disse coisas muito além de minha compreensão. Mas, então, ocorre-me que minhas palavras (e meu ministério) fazem parte de uma longa cadeia de audácia que, por sua vez, é radicada na audácia dos próprios testemunhos bíblicos. (Tenho em mente um paralelo com a obra *Rumors of Rain: A Novel of Corruption and Redemption*, de André Brink.) É assombroso refletir como foi quando Moisés (ou "J"*), ou Amós, ou "Jó", ou Paulo, ou Marcos teve a oportunidade de se expressar pela primeira vez. Em seus pronunciamentos, geraram mundos que não existiam antes de essas palavras serem articuladas. Suas declarações foram verdadeiramente criadas como "coisas novas do nada" (Rm 4.17). Como diz o hino "Irrompeu o amanhecer", tudo "brota da palavra".** E é por isso que nos pronunciamos uma vez, e continuamos a nos pronunciar e a nos repetir e a ficar atentos para novas expressões.

---

* Referência à chamada fonte J, de "Javista", que, segundo a Hipótese Documentária (uma teoria que procura traçar as origens literárias das escrituras hebraicas), teria sido uma das principais fontes usadas na composição do Pentateuco. (N. da T.)

** No original, "fresh from the world", trecho do hino "Morning Has Broken", de Eleanor Farjeon (1888–1965). (N. da T.)

Sem esses pronunciamentos e suas repetições, nossa vida regride ao que é seguro, convencional e rotineiro. É intenção desses ousados agentes de pronunciamentos, a cada enunciado, despertar-nos de nossos "cochilos dogmáticos" e da tentação de reduzirmos nossa fé a um narcótico privatizado.

Quando acompanhamos esses pronunciamentos de volta no tempo, chegamos à declaração generativa de Deus, que a cada vez é um ato que gera e transforma o mundo. Imagine como foi esse Deus santo dizer:

Haja luz!
Deixe meu povo sair!
Quero ver uma grande inundação de justiça!
Este é meu Filho amado!
Amem uns aos outros!
Não tema, eu o chamei pelo nome!

Cada uma dessas declarações merece um ponto de exclamação!

Por certo, são apenas pronunciamentos, até mesmo aqueles que vêm de Deus. Ao ouvi-los, porém, descobrimos neles, ao longo do tempo, uma realidade transformadora que sempre ultrapassa nossa capacidade de explicá-los ou de controlar os futuros que eles criam. Por isso, fico feliz de constituir uma parte minúscula dessa cadeia de audácia em que nós, o povo da fé, nos encontramos, essa cadeia que nos dá uma certeza que excede todo entendimento humano e uma ordem que nos deixa, na melhor das hipóteses, na condição de estranhos desajustados e irrequietos no mundo. Em retrospectiva, minha tímida audácia é um convite para que a igreja e seus pastores se maravilhem e interajam com essa longa cadeia de palavras que nos convoca a voluntário e obediente risco. Essa convocação é urgente nos dias de hoje, porque fica evidente que nossa sociedade se perdeu em um frenesi de alienação e ansiedade e porque, como afirma o hino "Deus de graça e Deus de glória", os velhos e conhecidos modos de fé não são adequados "para vivenciar estes dias".*

Ao reler minhas palavras, minha atenção se voltou para dois textos líricos bem conhecidos do Novo Testamento. O primeiro é a magnífica doxologia de Paulo em Efésios:

> Toda a glória seja a Deus que, por seu grandioso poder que atua em nós, é capaz de realizar infinitamente mais do que poderíamos pedir ou imaginar. A ele seja a glória na igreja e em Cristo Jesus por todas as gerações, para todo o sempre! Amém.
>
> Efésios 3.20-21

O apóstolo sabe que o poder de Deus é eficazmente ativo na vida do mundo, uma ação farta e eficaz. O contraponto humano da fartura eficaz divina é "pedir ou imaginar". Esse não é um desencorajamento ou um limite para aquilo que pedimos a Deus ou imaginamos a respeito de Deus. Antes, o que proponho é um convite para que nossos pedidos e nossa imaginação a respeito de Deus sejam extravagantes. O texto declara que não devemos moderar nossos pedidos nem nossa imaginação, mas reconhecer que são inadequados. Deus ainda nos surpreende com mais coisas e com coisas melhores. Nos meios progressistas, não é de bom tom imaginar que Deus pode agir "com fartura". Em decorrência

---

* No original, "the living of these days", trecho do hino "God of Grace and God of Glory", de Harry Emerson Fosdick (1878–1969). (N. da T.)

disso, suplicamos a Deus apenas anemicamente, pois não confiamos muito na ação divina. Nos meios conservadores, não é de bom tom pedir ou imaginar a bondade de Deus além de um rígido cálculo de obediência.

Esse fato, contudo, apenas deixa claro que cristãos progressistas e conservadores estão todos juntos diante do mistério de Deus, que supera todos os nossos cálculos medíocres, sejam eles o racionalismo dos progressistas, sejam eles o moralismo dos conservadores.

O outro texto que me veio à mente é a famosa lista de Hebreus 11:

> A fé mostra a realidade daquilo que esperamos; ela nos dá convicção de coisas que não vemos.
>
> Hebreus 11.1

Na retórica desse texto, "fé" não é um pacote de certezas nem um mantra confiável. Antes, é dependência e confiança em um Deus que nos dá um futuro, que tem esperança para o futuro, e que cria, constantemente, um caminho onde não existe caminho nenhum. Nesse versículo, portanto, a fé se transforma prontamente em esperança para o futuro que será diferente do presente. O que vem a seguir no capítulo é um rol de esperançosos que recusaram o *status quo*, pois confiavam que Deus tem "algo melhor" para quem, corajosamente, é capaz de avançar. A esperança, em Hebreus 11, não é uma divagação da mente ou do coração; é um movimento do corpo, que o coloca em risco para experimentar uma nova possibilidade. Para Ta-Nehisi Coates (autor de *Entre o mundo e eu*), os brancos são algo como "ladrões de corpos" que desejam possuir e ocupar corpos negros. Para a maioria de nós, nosso corpo (e, portanto, nossa vida) é cativo da domesticação segura. Aqui em Hebreus 11, porém, estão os nomes daqueles que arriscaram o corpo para experimentar o futuro. Essa lista é pertinente para nossos tempos perigosos, e nos perguntamos que nomes ainda serão acrescentados a ela.

Espero que estas minhas palavras proferidas novamente contribuam para a audácia de nosso falar e de nosso caminhar. Este tempo perigoso exige que pessoas de fé cresçam em consciência e coragem, a fim de subverter "por pensamento, palavra e ato" (*Livro de Oração Comum*) as ideologias correntes que desejam refrear e controlar nossas súplicas e nossa imaginação.

Sou grato a Richard Floyd por sua pronta energia e sua disciplina discernente para selecionar dentre minhas muitas palavras estas aqui presentes a fim de que voltem a ser pronunciadas. Ele entrou em minha mente o suficiente para saber o que mais desejo dizer, e entrou em minha retórica o suficiente para saber qual é o modo mais provável de eu dizê-lo. Ajudou-me a fazer minha contribuição para a cadeia de audácia em que temos a grata oportunidade de participar.

WALTER BRUEGGEMANN
Columbia Theological Seminary,
5 de julho de 2017

1
Fartura e generosidade

Convido-o a manter diante de si a seguinte pergunta: O que você busca? O que significaria nutrir-se do verdadeiro alimento da fidelidade pactual, recebê-lo e aceitá-lo, vivenciá-lo e ofertá-lo, ser transformado e desabituado daquilo que apenas o torna mais faminto?

Quando não confiamos na fartura garantida, precisamos suprir as deficiências com nossos recursos limitados. Esforçamo-nos para sair de nossa percepção de escassez e ingressar na fartura que imaginamos ser capazes de suprir por nossa própria conta, o tempo todo freneticamente ansiosos com a possibilidade de que ficaremos aquém. Devido à nossa percepção de escassez fundamentada em desconfiança, é necessário consumir o tempo sagrado do Sábado para aumentar a produtividade.

Nós, os batizados, somos aqueles que se inscreveram para a história de fartura de Jesus. Somos aqueles que concluíram que essa é uma história verdadeira, e os quatro verbos magníficos — tomou, abençoou, partiu e entregou — constituem a história verdadeira de nossa vida. Por isso, reconhecemos que a escassez é uma mentira, uma história repetida infindavelmente a fim de legitimar a injustiça na comunidade.

Em nosso batismo, declaramos que a velha história da escassez é falsa. E nos tornamos o povo e o lugar na cidade em que a fartura é praticada. Observamos que temos mais do que precisamos. Observamos que não precisamos guardar tanto para nós mesmos. Observamos que, ao compartilhar, recebemos mais. Observamos que, toda vez que nos comprometemos com a veracidade da fartura, nova energia, nova alegria e novo bem-estar brotam repentinamente em nosso meio.

✢ ✢ ✢

O raciocínio da comodidade diz que você compartilha com seu próximo aquilo que pode. O raciocínio da aliança diz que, primeiro, você compartilha com seu próximo e, depois, você e ele vivem com aquilo que têm juntos.

✢ ✢ ✢

Jesus veio para que tenhamos vida plena. As narrativas em que ele alimenta o povo dão testemunho de que a generosidade de Deus é garantida sempre que Jesus governa na terra, e contamos com essa generosidade. Isso significa que nossas práticas comuns de ganância, de busca por bens de consumo, de esforços frenéticos para adquirir mais coisas, são inapropriadas e desnecessárias. Nossa sociedade sempre anseia por mais: mais cirurgias plásticas, mais cosméticos, mais carros, mais cerveja, mais sexo, mais certeza, mais segurança, mais dinheiro, mais poder, mais petróleo... seja o que for.

Esse anseio por mais é sinal indubitável de que não confiamos na bondade de Deus para a provisão de todas as nossas necessidades; não confiamos que está em vigor o governo generoso de Jesus que subiu ao poder. Mas nós, nós somos o povo de Jesus e, portanto, temos o compromisso de agir de forma diferente e recebemos poder para agir de forma diferente na vizinhança, na economia e, como cidadãos da última superpotência, de forma diferente no mundo.

✢ ✢ ✢

Proponho que a raiz de nossa exaustão está na ansiedade que desconfia da fartura instituída por Deus e inserida na criação, e em consequência disso nós — como o Criador no sexto dia — temos o espírito completamente esgotado. Ao contrário do Criador, porém, não separamos o sétimo dia para repouso, pois, ao contrário do Criador, estamos tão ansiosos que não conseguimos descansar. E ele diz: "Venham a mim todos vocês que estão cansados". A verdadeira natureza de criatura, como dos pássaros e dos lírios, confia na fartura do Pai. Imaginamos, contudo, que em nossa inteligência e sabedoria nós temos mais conhecimento. Desgastamo-nos no exercício fútil de tentar tomar o lugar do Deus que garante a vida.

✢ ✢ ✢

Quando estiver saciado, não esqueça. A saciedade causa amnésia. O conforto causa indiferença. A segurança nos torna impassíveis.

✢ ✢ ✢

Há rebanhos, manadas e peixes em quantidade suficiente, pois esse é o Deus criador, aquele que concede dádivas continuamente. Os profetas são aqueles que se queixam de seu trabalho, ameaçam pedir as contas e encaram Deus quando ele está enfurecido. O chamado, porém, é para fiar-se na suficiência em um mundo de temerosa ansiedade. O povo ao redor de Moisés se cansou do que tinha. Murmurou. Queixou-se da falta de peixes, pepinos, melões, alhos e cebolas. Em sua escassez, tornou-se irrequieto e irritável e romantizou o passado, pois é isso que a escassez faz. Produz cobiça, ansiedade e, muitas vezes, violência. Resulta em orçamentos egoístas e em privatização. Produz violência e mesquinharia, avareza e antissociabilidade, agressividade no trânsito e hostilidade contra os pobres.

E, bem no meio disso tudo, Deus levanta profetas que fazem as perguntas certas e sabem a resposta fiel: suficiente!

Graça suficiente para incluir todos!

Sociabilidade suficiente para restaurar a segurança e a dignidade!

Recursos suficientes para dividir com as viúvas, os órfãos e os imigrantes!

Podadeiras e arados suficientes para que não precisemos nos armar com espadas e lanças.

O suficiente para que não precisemos escandalizar os pobres com nosso egoísmo.

O suficiente para que não precisemos viver com rancor, ressentimento e medo, como se estivéssemos sob ameaça.

Pão partido suficiente e vinho derramado suficiente para demonstrar dádivas e dar graças.

✢ ✢ ✢

Existimos graças à generosidade inescrutável de Deus em nossa criação, uma generosidade tão rica que não precisamos ser gananciosos nem autossuficientes, pois dádivas estão a todo tempo sendo concedidas. Essa história tem sua esperança e seu ápice na promessa de que Deus colocará todas as coisas em ordem, e de que é nosso destino ter comunhão pacífica com Deus e com nosso próximo na presente era e na era por vir. E, entre o início em generosidade e o ápice em comunhão, nossa existência deve ser de grata e obediente resposta ao propósito de Deus para nossa vida.

✣ ✣ ✣

Agora, quero que você pense no que acontece quando esquecemos, o que acontece quando abrimos mão da história e imaginamos que somos sofisticados demais, quando praticamos a amnésia. Eu lhe digo o que acontece. Abrimos mão da maravilha da fartura. Desconsideramos o milagre de generosidade de Deus. Começamos a imaginar que há escassez de alimento, de amor, de vida.

E, impelidos pela escassez, esforçamo-nos para conseguir o que é nosso, e para ter cada vez mais, pisoteando e esmagando nosso próximo, passando por cima dele. A economia ocidental é radicada na ideia de escassez e, portanto, vamos à luta. Os pobres se viram com roubo, violência e ameaça. Os poderosos se viram com investimentos, incentivos fiscais, crédito e exploração. E, juntos, ricos e pobres criam uma selva de ansiedade, brutalidade e violência. É isso que o esquecimento produz. E o que se aplica à nossa cultura se aplica de modo mais próximo à família que opera como se o amor fosse um jogo de soma zero.

Mas nós lembramos. E, por isso, sabemos que a vida e a economia impelidas pela escassez são uma fraude. Lembramo-nos de nos desvencilhar da fraude da escassez. Lembramo-nos do evangelho de que há suficiente, o alimento é concedido, Deus é generoso. A tarefa de lembrar consiste em nos desvencilhar das amarras da escassez que nos escraviza.

✛ ✛ ✛

É estranho falar de autodisciplina em uma cultura terapêutica de autogratificação e consumismo ilimitado que se encontra numa farra interminável de satisfação pessoal. A novidade é que há uma alternativa para isso tudo; é radicada no evangelho. Os cristãos que levam Jesus a sério sempre foram convidados ao caminho mais excelente de dizer "sim" intencionalmente e dizer "não" intencionalmente no que diz respeito a tempo e dinheiro, ao modo de falar, ao próximo, à sexualidade, à caridade, à hospitalidade, a todas as coisas que nos tornam humanos. Imagine uma igreja que tem tanta clareza a respeito de seu chamado, tanta certeza de sua identidade no mundo que não é tolerante, nem frouxa, nem desleixada quanto a sua identidade ou seu mandato.

✛ ✛ ✛

Imagine um grupo de pessoas que já não se reúnem para cantar e dançar e se lembrar da fidelidade. Nesse mundo, a memória se perdeu e a amnésia tomou conta, esquecimento que pressupõe que somos os mais importantes e os únicos, que ninguém veio antes de nós e ninguém virá depois de nós; há somente nós, livres para esgotar toda a criação (e seu petróleo!) à nossa maneira extravagante. Moisés, evidentemente, entende bem essa questão; sabe que a riqueza produz amnésia e a perda de uma recordação que nos fundamente:

> Quando ficarem satisfeitos e forem prósperos, quando tiverem construído belas casas onde morar, e quando seus

rebanhos tiverem se tornado numerosos e sua prata e seu ouro tiverem se multiplicado junto com todos os seus bens, tenham cuidado! Não se tornem orgulhosos e não se esqueçam do SENHOR, seu Deus, que os libertou da escravidão na terra do Egito. [...] Fez tudo isso para que vocês jamais viessem a pensar: "Conquistei toda esta riqueza com minha própria força e capacidade". Lembrem-se do SENHOR, seu Deus. É ele que lhes dá força para serem bem-sucedidos, a fim de confirmar a aliança solene que fez com seus antepassados, como hoje se vê.

Deuteronômio 8.12-14,17-18

O ato perene de amor é a generosidade. O mundo nos ensina a ser egoístas e mesquinhos e a cuidar de nossos interesses. O amor conforme o evangelho, porém, é fundamentado na convicção de que tudo o que temos é dádiva do Deus que foi generoso para conosco, e somos convidados a praticar a generosidade junto com o Deus do evangelho. Em nossa relativa riqueza, pensamos que não somos assim tão ricos. Na verdade, porém, quando o amor está operando, precisamos de muito pouco, de muito menos do que imaginávamos. E então temos liberdade, tanta liberdade quanto Jesus teve, de passar essas dádivas adiante.

Jesus tem um antídoto para a ansiedade. O antídoto é a fartura, a efusão de generosidade do Deus criador, a dádiva que continua a dar. Esse é o antídoto para a ansiedade! É o reconhecimento do Deus criador. O mundo não é entregue à própria sorte. Não é deixado à mercê de seus recursos limitados. O mercado não é um agente autônomo no mundo. Há o Deus Pai que excede todo o poder da ansiedade e inunda com fartura.

✜ ✜ ✜

Suponho que você seja parecido comigo. É puxado em duas direções, ou perseguido por duas versões distintas de sua vida. Uma história que compete por nossa lealdade é a história do dinheiro, contada e vivida no mundo moderno. Essa é a história da autossuficiência, do trabalho árduo, da competência, do mérito, da segurança em nossos termos. O sinal dessa história é mais: mais bens, mais influência, mais bebidas alcoólicas, mais ações na bolsa de valores, mais poder, mais artigos publicados, mais tênis de corrida, mais dependência química, mais viagens para a Europa, mais ganho de capital, ou seja lá o que for. De acordo com essa história, não importa o quanto alguém junte, ainda não é o suficiente para a felicidade e a segurança. Juntar mais, porém, nos deixará felizes e seguros.

Suponho que você seja como eu e saiba do poder de atração dessa história e, pelo menos ocasionalmente, seja seduzido por ela.

No entanto, conhecemos e levamos a sério um relato bem diferente de nossa vida; somos perseguidos por esse outro relato, atraídos a ele, e, num dia bom, temos a intenção de firmar nossa vida nessa outra versão da realidade. Essa é a história do evangelho. É uma narrativa da generosidade de Deus, visível para nós no mistério da criação de Deus, que conhecemos de modo crucial no amor de Deus em Jesus de Nazaré e na qual confiamos porque a experimentamos de maneiras profundamente pessoais e concretas em nossa vida.

✢ ✢ ✢

Vocês, queridos irmãos e irmãs, são aqueles aos quais foi confiado o mistério da fartura para que, primeiro, vocês mesmos creiam nele. O drama da fartura, no qual a criação dá seus frutos com liberalidade, é encenado com precisão na Eucaristia. A Santa Comunhão não diz respeito a pecado e salvação. Diz respeito à maravilha de que Deus, o Criador, se moveu diretamente contra toda nossa ansiedade para nos inundar com fartura confiável.

Diante da agressividade radicada na ansiedade e que se arroga de virtudes morais não examinadas, há essa dádiva antiga e profunda de ser pacificador conforme o evangelho. Essa prática como alternativa evangélica não se deve simplesmente ao fato de que somos os "mocinhos" ou de que "vale tudo" e podemos ser mornos e indiferentes em relação a questões importantes. Em vez disso, como Paulo sabia muito bem, deve-se ao fato de que somos radicados na graciosa generosidade de Deus; nossa vida não depende, em última análise, de estarmos no controle ou de termos razão. O objetivo primordial de nossa vida é nos rendermos em confiança ao Deus que nos ama mais do que amamos a nós mesmos.

Nossa memória é saturada de promessas que continuam a ser cumpridas. Em nossa amnésia, porém, as promessas não parecem interessantes nem confiáveis. E, quando deixamos de confiar nas promessas e perdemos a esperança, o resultado é desesperança, pois ela é o oposto da esperança. E, quando não temos esperança, agimos de modo ganancioso, pois imaginamos que Deus não tem novas dádivas para conceder.

Considere: nossa memória é saturada de pão dado gratuitamente, presente radicado na generosidade de Deus. A amnésia, porém, empurra o pão dado gratuitamente para um canto e não somos capazes de nos lembrar dele. Não conseguimos crer que "há pães com fartura".* Concluímos, em nossa memória falha, que há escassez de pão. Vamos à luta para manter o pão que temos. Defraudamos nosso próximo e tomamos o pão dele também. Até que ele não tenha pão, e nós não tenhamos próximo, pois não somos capazes de nos recordar de milagres chamados gratidão.

✣ ✣ ✣

Onde não há sacramento que dramatize o mundo como mistério de fartura, a vida se torna simples mercadoria e as interações humanas são reduzidas a transações comerciais. Aquilo que entendíamos, tradicionalmente, como bens sociais — cuidados médicos e educação, por exemplo — agora é apenas instrumento de promoção a serviço da ganância.

✣ ✣ ✣

Qual é o propósito da vida? Não é acúmulo, controle e autossuficiência. Esse é o caminho para a morte. Em meio a essa ambição fracassada, a voz de Jesus é a voz de outra forma de trabalho e descanso que leva em conta nosso verdadeiro

---

* No original, "loaves abound", trecho do hino "Let Us Talents and Tongues Employ", de Fred Kaan (1929–2009). (N. da T.)

caráter. Em nossos vários esgotamentos, somos convidados a repensar, a trabalhar de modo diferente, sem tantas expectativas, e a descansar em alegria e bem-estar, sem medo.

✤ ✤ ✤

Há uma generosidade de espírito no evangelho, uma generosidade não subjugada por nossos temores, não transigente quanto aos elementos básicos, mas aberta para pessoas que se apresentam de muitas formas e tamanhos. No fim das contas, será essa generosidade com base no evangelho que acalmará nossos medos, refreará nossa raiva, acabará com nossa brutalidade e nos renovará. Em última análise, todos nós almejamos perdão suficiente e a dádiva de perdão para chegar ao fim do dia e dormir à noite. E, agora, temos a promessa: acolhimento para todos, para todos nós vivos aqui, hoje. Esse acolhimento é prometido para quem continua a realizar o trabalho árduo de antigas paixões que permitem novas decisões.

✤ ✤ ✤

A essência daquilo que Jesus disse é: doe. Doe com alegria. Faça amigos por meio de sua generosidade. A porta para um futuro caracterizado pelo evangelho é a generosidade, a contribuição exorbitante e proposital no presente a fim de criar um futuro viável. Essa me parece ser uma palavra bastante urgente, pois estamos terrivelmente presos em ciclos de ganância, afluência, autogratificação e aquisição de bens, ciclos assustadores que não produzirão futuro nenhum para a humanidade.

✤ ✤ ✤

Há uma ideia temerosa de que tudo pertence a nós e de que não há dádivas que precisemos receber nem milagres com os quais precisemos interagir. Para essas pessoas, não há generosidade, mas apenas medo relutante. Logo chega a hora de os membros da congregação prometerem tempo, energia e dinheiro para o trabalho da igreja. Nesse momento, resolvemos se podemos participar do novo cântico. O mundo resiste a esse cântico. Mas aqueles de nós que vêm à mesa são convidados a participar dessas maravilhas; estamos entre aqueles que entoam o novo cântico e apresentam uma oferta com sinceridade em meio a nossa pobreza. A generosidade de Deus estimula nossa generosidade.

O mundo está debaixo de um novo governo. É uma mudança autêntica de regime. Receba o reino de fartura e não se envolva com os deuses da escassez. Sirva ao Deus da justiça para com o próximo e pare de se preocupar com ameaças e concorrentes. Entregue sua vida à vontade de Deus para o próximo, como ato de generosidade, e as demais coisas virão, as demais coisas acerca das quais você anda ansioso: vida, alimento, bebida, vestimenta, moradia.

2
Mundos alternativos

O mundo vem a nós de maneiras destrutivas, patológicas. Do caos, porém, vem outra voz radicada na memória. Vem o texto que molda nosso futuro, não em hostilidade, mas em compaixão, não em abandono, mas em solidariedade, não em isolamento, mas em aliança, não em desafeição, mas em bem-estar.

Não há nada de trivial nas proposições fundamentais da fé bíblica. Aliás, não há quase nada na fé bíblica que possa ser entendido conforme nosso habitual controle analítico, científico, objetivo ou sensato da vida. Antes, a Bíblia é organizada em torno de momentos explosivos em que a santidade de Deus desce em nosso meio e muda tudo. Esses momentos em que a santidade desce à terra não são doces e românticos. Não são piedosos e religiosos. São, isto sim, momentos de ameaça e risco, em que nossos mundos são despedaçados e tudo é transformado.

❖ ❖ ❖

Ao entoarmos nossa vida para Deus, nosso Pastor e Rei, esse cântico desloca o centro de nossa vida para longe de nós. Ao entoarmos nossa vida para Deus, e para longe de nós mesmos, esse cântico nos afasta do medo e da ansiedade que nos levam a condutas egoístas e desumanas. Qual de vocês, ao voltar para si mesmo, pode acrescentar um côvado que seja à sua vida? Ao entoarmos a vida para Deus, anunciamos que as condutas egoístas e cobiçosas de nossa cultura são falsas. Anunciamos ao mundo que a desvairada corrida armamentista rumo à segurança é uma mentira, pois jamais nos protegerá. Declaramos que o consumismo é uma mentira, pois não podemos comer o suficiente ou ter o suficiente para estar seguros. Recebemos felicidade apenas daquele para o qual nos voltamos com louvor.

✤ ✤ ✤

Uma contraverdade aflora no culto cristão. É um pequeno contraponto sem voz expressiva ou força. É, de longa data, a perspectiva da minoria. Aqueles que praticam o contraponto sabem muito bem que nossa voz não é, nem será, dominante. É uma *sub-versão* da realidade, que ressoa debaixo do estrépito da versão dominante, que voa abaixo do radar da versão dominante.

Em todo pronunciamento, ato e gesto litúrgicos, essa sub-versão da realidade tem por objetivo subverter as versões dominantes, mostrar que são inadequadas, senão falsas, e capacitar a comunidade para que volte a interagir com a realidade de acordo com essa sub-versão.

Essa tensão delicada entre versão dominante e sub-versão é, creio eu, o verdadeiro caráter do culto. As proposições feitas na sub-versão, proposições como "Cristo ressuscitou", são verdade sentida em profundidade e oferecida com vigor. E, no entanto, no próprio ato de pronunciá-las a comunidade adoradora sabe que os fatos em questão, os dados à mão, contradizem isso e dão prova de que o odor de morte ainda é bastante perceptível. A igreja não pode se tornar cínica e ceder à perspectiva dominante. Mas também não pode se tornar excessivamente romântica a respeito da sub-versão e, com isso, imaginar que ela é predominante. Antes, creio que a comunidade adoradora deve viver de modo consciente e indefinível essa tensão, não cínica, não romântica, mas sábia e inocente (Mt 10.16), sempre dedicada a negociar entre a sub-proposição e o mundo tal como o encontramos.

✣ ✣ ✣

A cultura dominante imagina um mundo centrado, seguro, devidamente ordenado que permita absolutos e certezas e profunda sensação de coerência em relação a ele. Essa situação é alimentada e reforçada nos Estados Unidos pela prática imperial de hegemonia militar e econômica que imagina que segurança é estabelecida quando prevalecemos em todas as partes do mundo. Aqui não existem deslocados!

A cultura dominante imagina uma segurança normativa de legitimidade e conformidade que aplica normas acerca da vida, das finanças, das forças armadas e da sexualidade e impõe um alto grau de conformidade sobre todos os membros da comunidade. É impaciente com aqueles que não se sujeitam e não aquiescem, com aqueles que praticam e defendem desvios das normas estabelecidas por unanimidade. Aqui não existem "outros"!

A cultura dominante é dedicada, em grande medida, à ávida aquisição de bens e à centralidade inquestionada do mercado. Essa avidez diz respeito não apenas à economia, mas a todos os relacionamentos sociais, entre eles os de ordem sexual, fato indicado em novelas, programas de sobrevivência e "comédias" tipicamente caracterizadas por atitudes agressivas e interações mesquinhas consideradas "divertidas". Aqui não existe aliança!

A cultura dominante é comprometida com uma dedicação incessante a todas as coisas: ao trabalho, à diversão e auto-gratificação, à disponibilidade instantânea por meio de telefones celulares, ou seja lá o que for. Não resta espaço para o espírito humano, e a atenção ao mistério subjacente da vida está absolutamente corroída. Aqui não existem sábados!

A cultura dominante é uma cultura de iniciativas caracterizadas por assertividade, sem abertura para a mutualidade, ou para o estado de espírito, ou para a prática da receptividade. Aqui não existem orações submissas!

✣ ✣ ✣

Estamos no processo de decidir a quem pertence o presente. Na maioria dos dias, imaginamos que o presente pertence ao império. Quando pensamos dessa forma, sucumbimos em resignação, pois concluímos que tudo está determinado e nada pode ser mudado. Alguns dias, porém, ouvimos uma voz que invade o império. Essa voz singular, a voz do evangelho, afirma: "Estou realizando algo novo. Não percebem?". Quando percebemos, somos estranhamente livres. Cantamos, dançamos, nos importamos sem limites, pois não estamos mais amedrontados. Recuperamos as forças. Corrigimos as prioridades. Declaramos louvores a Deus e reivindicamos o presente para o Deus ao qual ele pertence. Somos libertos para viver no presente onde a novidade de Deus está operando de modo audaz, pleno, destemido, livre, poderoso, jubiloso. É suficiente confiar na poesia e ver o presente ser renovado para o propósito de Deus.

❖ ❖ ❖

Vivemos em tempos como os do dilúvio, como os do exílio, em que as convicções nos abandonam, a confiabilidade de outrora se torna incerta e as coisas se desintegram. A desintegração está ocorrendo para conservadores e para liberais.* Está ocorrendo em toda parte ao nosso redor e para todos nós.

Em um contexto como esse, de enorme receio, somos propensos a enorme destrutividade. Tornamo-nos mais vociferantes, temerosos, ansiosos, ávidos por resultados que nos agradem, mais desalentados e, consequentemente, mais brutais. Estamos cercados por essa propensão à destrutividade. Muitos dias, sucumbimos a seu poder; sucumbimos à necessidade de cuidar apenas de nós mesmos e de outros como nós, apenas de modo egoísta, ideológico, "realista".

A alternativa é um ato de imaginação semeado pela memória, proferido por um poeta que traz para o presente uma recordação salutar a fim de que o presente seja radicalmente reconstituído. Esse ato de imaginação não é reduzido para se encaixar em nosso realismo, ou para se conformar a nosso interesse, ou para se ajustar a nossa realidade convencional. Se desejamos apenas chafurdar no *status quo*, não precisamos de poesia, nem de artisticidade, nem de imaginação. O poeta faz valer seus direitos contra essa realidade presente. Esse ato de imaginação subverte o *status quo* e nos convida a uma alternativa.

---

* Nos Estados Unidos, o termo "liberal" não necessariamente se aplica ao conceito filosófico-econômico do liberalismo, que defende a liberdade individual e a livre atuação do mercado. Antes, refere-se a adeptos de políticas progressistas, vinculadas à esquerda. Mantivemos, porém, o termo "liberal", a fim de não descontextualizar a argumentação do autor. (N. da T.)

✜ ✜ ✜

Quando a verdade é dita, um novo mundo permanece possível.

✜ ✜ ✜

A subversão da fé não tem nenhuma relação com ser liberal ou conservador. Antes, diz respeito à seguinte questão: se a força dominante de consumismo tecnológico, eletrônico e militar terá a última palavra no mundo; se as práticas de ganância, alienação, desesperança, amnésia e brutalidade serão a forma de um mundo no qual apenas os privilegiados têm uma chance de viver bem, e isso ao usar os desprivilegiados como meios para alcançar um fim. Ou se os sonhos de aliança de Moisés, as profundas esperanças de Jeremias e o amor sofredor e transformador de Jesus nos atrairão para uma fé alternativa que estima nossa humanidade em comum, concedida por Deus.

✜ ✜ ✜

Em nossa ostensiva felicidade, iludimo-nos com a ideia de que somos imunes à terrível desumanidade que chega aos noticiários e de que ela não tem nenhuma relação conosco. O Novo Testamento sabe que fazemos parte do mundo de injustiça, realidade implícita em razão de nosso nascimento, nosso batismo, nossa cidadania. A igreja do Novo Testamento sabe que o povo de Jesus sofre, não porque esse sofrimento é nobre, piedoso ou sádico, mas porque a asserção da verdade por Jesus nos coloca em profundo conflito com a forma de organização do poder no mundo.

Não imagino que haja necessidade de ação heroica. Não imagino que seja preciso jovens se lançarem a esta ou aquela causa. Antes, esforçamo-nos para entender como a fé no Crucificado Ressurreto nos desafia a uma visão clara da realidade, como a verdade de Jesus confronta outra verdade ou concorda com ela, como nossa verdade mais fácil no mundo é tão prontamente vinculada a privilégio, vantagem e poder.

✢ ✢ ✢

A igreja, por meio de suas palavras e de seus atos singulares de generosidade e emancipação, abre o mundo para novas possibilidades que tornam impotentes todas as antigas possibilidades. Os poderes da morte fizeram o melhor (ou o pior) que puderam na Sexta-Feira; esses poderes não conseguiram prevalecer. Fica evidente que são inoperantes diante do poder de vida de Deus. E, portanto, a igreja continua a zombar da morte e a celebrar a dádiva divina da vida invencível.

✢ ✢ ✢

Quando Paulo falou do Deus da esperança que, por amor, concede novos futuros, tinha consciência de um mundo de desesperança que comercializava brutalidade. E nós também temos essa consciência. O mundo de desesperança crê que não há novas dádivas, generosidade inédita, possibilidade de novidade ou perdão, e portanto a vida se torna um jogo de soma zero para ver quem fica mais tempo no topo, sempre ciente de que essa competição fútil não trará nenhum resultado benéfico. Pois bem, eis as novas. Para além dessa desesperança que sanciona agressividade e violência contra os pobres, guerra e exploração implacável que nos deixa exaustos, senão quase mortos, há um mundo alternativo corporificado em Jesus. É um mundo de novas dádivas e recomeços fundamentados no perdão divino e sustentados por generosidade. Esse mundo é oferecido naquele que está prestes a nascer em nosso meio.

✥ ✥ ✥

Na comunidade de fé, "imaginar" não significa "inventar". Significa, antes, receber, cogitar e acolher imagens da realidade que se encontram fora dos fatos conhecidos e aceitos. Se, contudo, dizemos "receber" imagens, podemos perguntar: "Receber de quem?". Ou: "Receber para quem?". A resposta que damos é: aquilo que os salmistas e liturgistas imaginam, moldam e oferecem é dado pelo Espírito de Deus, pois é o Espírito que dá testemunho. Foi o Espírito que deu aos israelitas liberdade de reconhecer e confessar Javé como aquele que os salvou da escravidão. É o Espírito que nós dá olhos para ver e uma identidade para observar a recorrente e constante fidelidade de Deus. É o Espírito que clama conosco, que nos permite clamar e receber livramento de Deus. É o Espírito que se move na fé da comunidade e na artisticidade do poeta a fim de dar voz à verdade singular de nossa vida comum.

✥ ✥ ✥

Vocês, discípulos, viram. Conheceram; estiveram na presença dele. Foram curados e alimentados por ele. Provaram de seu pão e beberam de seu vinho. Vocês sabem!

Sabem da vida radicada no Espírito de Deus e não no espírito da era de violência.

Sabem dos pobres e não deixaram riqueza e poder lhes subirem à cabeça.

Sabem do impulso de criação em direção à saúde, uma saúde característica das criaturas, assinada com pão e vinho.

Vocês sabem. E, porque sabem, cantam continuamente. Podem continuar a cantar. Podem continuar a ter esperança. E, porque cantam e esperam, podem agir com liberdade, desimpedidos, despreocupados, destemidos e sem cinismo. O cântico prossegue. É um cântico subversivo, revolucionário. E nós, que recebemos acesso a esse Rei singular, podemos nos comprometer a entoar e viver esse cântico — destemidos!

Há um novo mundo disponível que chegará muito em breve. Está sendo gerado no milagre de Jesus de Nazaré. É um mundo marcado pelo aroma de estábulo dos pastores e pelos perfumes dos magos. É um mundo marcado por uma Sexta-Feira de sofrimento e morte e por um Domingo de surpresa e nova vida. É um mundo que revela todas as contradições de nossa vida presente. É um mundo que nos convida a sair daqui e ir para lá em alegria, obediência e disciplina, um mundo que nos convida a recomeçar.

Precisamos olhar com cuidado. Somos chamados a treinar nossos olhos para enxergar de modo diferente, para ver o que o mundo não observa. A novidade do evangelho pode assumir diversas formas: uma criança, um copo de água, uma senhora idosa que compartilha o que tem, uma prostituta que se arrisca, uma nova lei, um novo item no orçamento, um risco incomum para uma instituição. Novidade é qualquer movimento surpreendente em direção à justiça, à misericórdia e à compaixão.

Deus é eterno e fez o mundo. Essa é uma declaração polêmica. Significa que os deuses babilônicos não são dignos de confiança, pois, na realidade, não são capazes de fazer coisa alguma. Não aceite as asserções desses outros deuses. O simples fato é que, no fim das contas, nenhum sistema econômico pode nos dar vida. Nenhum sistema de segurança baseado no medo jamais poderá nos proteger. Nenhuma organização social que desagrade a Deus jamais poderá permitir que sejamos humanos. Cremos demais no mundo. Demos atenção demais aos babilônios. Ansiamos demais pelo sonho americano. E aqueles que são cativados por sonhos babilônicos ou americanos terminam sem energia para a fé e para a missão. No entanto, ao voltar o foco para o Deus que é livre e irrequieto e que está operando, quebramos o encanto do império, e voltamos a ser livres.

O que judeus e cristãos têm em comum — somente entre si e com ninguém mais — é nossa crença de que há alguém a caminho para dar um jeito neste mundo. Cremos que Deus não renegou o mundo, que não desistiu de sua vontade para o mundo e de sua promessa de torná-lo um lugar seguro e pacífico. Cremos que, por causa da imutabilidade de Deus, o mundo não será para sempre uma zona de matança, repleta de violência, brutalidade, ódio e medo.

✢ ✢ ✢

O mundo não precisa que a igreja fale daquilo que já é possível. O trabalho da igreja é lutar contra a definição do mundo daquilo que é crível e incrível.

✣ ✣ ✣

Os cristãos são abençoados quando mantêm a consciência e a prática do presente que se recorda de que esta não é a vontade de Deus. Jesus, contudo, não se atém a ler o presente de forma diferente. Também convida seus discípulos a uma visão diferente do futuro. Convida seus discípulos a estarem com ele nas promessas de Deus, cientes de que Deus realizará coisas novas e curativas no mundo, novos feitos de Páscoa que o mundo não imagina, pois Deus ainda não desistiu de conduzir o mundo à novidade.

Quem cresceu na igreja recebeu uma boa dose da ideia de que o mundo é mau, tentador, repleto de demônios e pecadores, e de que o homem bom é aquele que o suporta até chegarmos a nosso outro lar. Talvez poucos de nós creiamos nisso, e no entanto há sempre uma lembrança recorrente de que não fomos feitos para este lugar. E, agora, somos chamados pelo evangelho a colocar de lado essas ideias negativas e paralisantes a respeito do mundo, ideias que não nos impedem de viver, mas nos impedem de experimentar a alegria que podemos ter.

A principal pergunta religiosa em nosso meio é se existe fundamento para uma alternativa, uma alternativa radicada não na preocupação pessoal, ou na estabilidade entorpecente, mas radicada em uma realidade mais extraordinária que existe debaixo de impérios, e que vem para nosso meio de modo tão singular quanto uma poesia, tão inescrutável quanto poder, tão perigoso quanto nova vida, tão frágil quanto a espera. O poeta profere o nome e imagina nova vida, como águias voando, correndo, caminhando.

✜ ✜ ✜

Deus se opôs à escuridão destruidora, e somos convidados a responder à luz. Foi contra a escuridão que Deus disse "não roube", "não mate", "não cometa adultério". Foi contra o barbarismo que Deus disse "não difame", "não dê falso testemunho", "não faça fofoca". Essa comunidade de fé aprendeu que, quando nos desvencilhamos de nossas condutas mortais e interesseiras, a dádiva divina de luz e vida é concedida. No entanto, a luz exige rendição de nossa parte. A vida exige que abramos mão de nossas condutas egoístas e controladoras. É intenção de Deus reordenar nossa vida comum em novos termos.

✜ ✜ ✜

Aprendemos — e temos necessidade contínua de reaprender — que a cruz não é simplesmente um acontecimento isolado na vida de Jesus ou de Deus. Antes, a cruz é a chave para o mistério de como viver uma vida alternativa no mundo, uma vida alternativa marcada por inocência arriscada que tem poder de curar, de criar vizinhanças em que uns se importam com os outros frente a mercados vorazes, de despertar novas possibilidades frente à desesperança, de praticar novas formas de libertação frente aos infindáveis grilhões de opressão. A chave do mistério, evidentemente, é que nada disso acontece a menos que nos arrisquemos; portanto, o aprimoramento da vizinhança exige um investimento de nós mesmos.

✣ ✣ ✣

A asserção simples de nossa fé é a de que Jesus de Nazaré desestabiliza o mundo humano, faz ocorrer algo novo que é humano, e exige que prossigamos com a vida de uma nova maneira. A verdadeira questão, portanto, não é se milagres acontecem. A verdadeira questão é o que faremos com Jesus. Confiaremos nele como homem e obedeceremos a ele como espírito e seremos ressuscitados? Ou persistiremos em nossa incredulidade recalcitrante que deixa o mundo fechado e à beira da morte?

Jesus convocou e constituiu uma comunidade alternativa da qual somos herdeiros. Imagine que uma pequena comunidade colocada no meio do império e de todo o seu militarismo agressivo é uma comunidade que se recusa a participar da ansiedade do mundo, pois imita os pássaros e os lírios na firme confiança de que o Pai no céu conhece nossas necessidades e as supre.

Nossa fé crê de modo profundo, central e não negociável que Deus formará uma nova comunidade humana. Não sabemos como. Em nossa situação, como em toda situação assustadora, é mais fácil imaginar que essas promessas de novidade são apenas velhas promessas tradicionais, agora ultrapassadas em nossa capacidade tecnológica de destruição. É tentador imaginar que a perda talvez seja verdadeira, mas que as promessas não estejam em vigor. É mais fácil concluir que não haverá um porvir jubiloso, nem a voz da noiva e do noivo. Nos lábios de Jesus, contudo, estão as palavras: "Vocês se encherão de riso", pois a vontade de Deus opera para formar uma comunidade humana, sem que saibamos como isso acontece. Ele combateu a dúvida ao dizer sucintamente: "Se vocês rirem agora, acabarão por chorar". Se celebrarem o que é, não receberão o que será. Se estiverem profundamente comprometidos com o velho mundo que está chegando ao fim, não estarão presentes nem disponíveis para o novo mundo que Deus colocará no vazio da criação.

3
Ansiedade e liberdade

Jesus faz um contraste exato entre "ansiedade" e "Deus, o Pai", que conhece todas as nossas necessidades. A falta de confiança elementar no Deus criador — a desconfiança fundamental que constitui a triste situação humana comum, mas que é intensificada para nós em nossa condição de filhos do Iluminismo — leva à ansiedade que anula o Sábado. Jesus convida seus discípulos ao Sábado que anula a ansiedade, fundamentado na fartura da qual os pássaros e as flores têm conhecimento, que rejeita a escassez imaginada em nossa autonomia.

Como você sabe, vivemos em uma sociedade cheia de medos, devorada pela ansiedade. E, em nossa ansiedade, imaginamos que existem medidas de "segurança" extremas que nos manterão protegidos. Se, contudo, este é o mundo de Deus, e se está em vigor a regra do amor, a ordem não é para que nos recolhamos em um casulo de segurança; antes, a ordem é para que estejamos do lado de fora, ativos no mundo em políticas e atos concretos por meio dos quais a ansiedade temerosa em nosso meio é eliminada, e adversários podem ser transformados em aliados e amigos.

✤ ✤ ✤

Ser destemido é uma vocação singular; no entanto, é a vocação de todos que foram batizados. Somos diferentes quando somos batizados. A narrativa sobre a igreja primitiva em Atos diz que o Espírito de Deus veio sobre os batizados, assim como o Espírito veio sobre Jesus no batismo. Muita coisa tola é ensinada a respeito da vinda do Espírito no batismo. O que o Espírito faz, porém, é visitar nossa vida — nossa pessoa, nosso corpo, nossa imaginação, nosso dinheiro — com a liberdade de Deus para que sejamos destemidos no mundo, capazes de viver de forma diferente, sem precisar controlar, dominar, acumular, sem ser movidos por ansiedade.

Administração é uma firme decisão de transcender a narrativa da ansiedade. Imaginamos que ter mais coisas eliminará nossa ansiedade. Mas não é verdade. Apenas nos tornará mais ansiosos. Acabamos com nossa ansiedade ao beber das águas que saciam, mesmo em meio ao perigo, e encontramos satisfação. Administração não tem a ver com orçamentos inteligentes. Tem a ver com nossa verdadeira identidade, radicada em generosidade, destinada à comunhão, privilegiada com o próximo no tempo presente.

A igreja é chamada para ser uma presença singular, a única ocasião de humanidade que transcende a correnteza mortal de ansiedade ao nosso redor. Os não ansiosos podem dedicar porções cada vez maiores da vida à vulnerável compaixão, e com isso a igreja vê o mandamento para amar fluir além de si e para a comunidade. O mandamento para amar uns aos outros se manifesta em atos de compaixão e de misericórdia, em uma paixão pela justiça e pela equidade, na liberdade para comer, cantar e dançar que desafia o império.

✤ ✤ ✤

Suponho que sejamos todos iguais quanto às diversas maneiras pelas quais estamos comprometidos e exaustos. Isto aqui parece corresponder à realidade para você?

1. A tensão de sobreviver a cada dia nos deixa sem energia suficiente para cantar, dançar e saltar bem alto. Estressamo-nos com a economia, com a competição, com as deficiências da igreja e com as exigências de filhos insistentes que, por vezes, compreendemos equivocadamente antes do fim do dia.

2. Somos complicados e estamos enredados. Seria belo e nobre "desejar somente uma coisa". Na maioria das vezes, porém, não desejamos somente uma coisa. Somos irresolutos quanto ao conflito entre ter o suficiente para nós mesmos e dar para outros, entre perdoar e nos apegar a normas, entre pegar atalhos e ser honestos. Essa é a difícil situação humana e, em maior ou menor grau, também é nossa difícil situação.

3. Somos tomados de medo pelo menos parte do tempo: medo de errar, de não ter o suficiente, de decepcionar pessoas, de ficar aquém das expectativas. Ou os medos maiores do poder nuclear, do estado caótico do meio ambiente e da perda de nossa aposentadoria.

4. Estamos, em grande medida, debaixo do peso do presente, e portanto as circunstâncias presentes parecem abranger tudo o que existe, e as obrigações presentes nos parecem definidoras.

✤ ✤ ✤

Vivemos em um tempo de tumulto, ameaça e desafios, em que as pessoas são devoradas por ansiedade. O mundo parece estranho, e nada permanece como costumava ser. Concentrações gigantescas de poder e riqueza nos fazem parecer minúsculos, e somos impotentes diante delas. Somos minimizados pela capacidade tecnológica e por avanços eletrônicos que parecem tomar de nós a iniciativa em nossa própria vida. Consequentemente, quando somos devorados pela ansiedade, quando a grandeza nos torna minúsculos e quando somos minimizados pela tecnologia, fazemos uns aos outros coisas estranhas, maldosas e destrutivas. É como se Deus tivesse nos inserido em um universo de loucura, e esse Deus chamou a igreja para ser uma presença não ansiosa no meio dessa sociedade.

Jesus interrompe os alarmistas e diz a seus discípulos: "Não fiquem ansiosos. Não temam". Jesus convida seus ouvintes a entrarem em outro âmbito, não de mágica, superstição ou sobrenaturalismo, mas na realidade evangélica de que o mundo subsistirá. Não se desintegrará. Consequentemente, podemos parar de pensar em nós mesmos e viver em voluntária obediência radicada na gratidão.

Tenha uma atitude de "temor e tremor" diante da presença santa de Deus, e não tema nada mais. Não trema diante de nenhum outro e siga em frente, você que vive fora da zona de ansiedade do mundo. Siga em frente regozijando-se.

Jesus assumiu a forma de servo e se tornou obediente até a morte. Os discípulos ficaram pasmos. Como ele fez uma coisa dessas? Por que agiu desse modo? A resposta: a vida é liberta, do começo e do fim, pela verdade do Deus de toda graça. Uma vida bem estruturada permite vulnerabilidade; uma vida estruturada pelo eu e para o eu termina em medo e em preocupação própria tão cheia de carência que não somos capazes de remover o manto exterior, de ajoelhar, de chegar de mãos vazias para as pessoas de pés sujos. Jesus demonstrou na prática para os discípulos (e para nós) a liberdade de uma vida estruturada no evangelho.

✣ ✣ ✣

Não sacrifique sua vida pelos velhos deuses da coerção e da ansiedade. Antes, olhe para o Deus da impossibilidade. Esse Deus concede vida aos mortos e faz existir coisas que não existiam — tudo isso em nosso meio. Até mesmo em nosso meio! Somos convidados a habitar na liberdade de Deus!

✣ ✣ ✣

A boa notícia é que Javé, o Deus do êxodo, está no comando. Todas as criaturas podem ser autênticas, sem medo e sem fracasso. As árvores podem ser árvores felizes, que dão frutos e fazem sombra. Os campos podem ser campos produtivos. Os oceanos podem ser oceanos prolíficos e restaurados, a terra pode ser terra fértil. E participamos da alegria, pois se esse Deus é Deus, podemos ser autênticos, livres do ódio, da raiva, da culpa, da alienação. Podemos ser a verdadeira e melhor versão de nós mesmos que Deus planejou e esperava que fôssemos. Não é de admirar que o mundo inteiro dance. A boa notícia do evangelho é que, pelo fato de Deus verdadeiramente ser Deus, podemos ser verdadeiramente nós mesmos, curados, inteiros, alegres, livres, confiantes e obedientes. O evangelho é uma excelente notícia. Nós a recebemos com júbilo. Podemos deixar para trás os velhos hábitos de nos contorcermos de maneiras falsas. Essas distorções não são mais necessárias, pois as velhas e falsas lealdades foram anuladas. Somos livres e ansiamos pelo caminho para a felicidade que Deus quer dar.

✣ ✣ ✣

O motivo pelo qual existe tanta loucura, tanto medo e ódio desenfreados, tanta propensão à brutalidade e à violência, ao terrorismo e ao contraterrorismo, é que as pessoas são ansiosas até o âmago de sua vida. Pessoas ansiosas, quando a ansiedade é forte e profunda o suficiente, fazem umas às outras coisas loucas e destrutivas que, em qualquer outro contexto, seriam vergonhosas e inaceitáveis. Essa ansiedade profunda nos leva a dividir o mundo em "nós e eles", em mocinhos e bandidos e, então, imaginar que somos bons, corretos, puros e justos — tudo por causa de ansiedade. Mas não é desse modo na igreja fiel. E por que não? Pelo seguinte motivo: nós, cristãos, não somos como nossa sociedade. Pelo seguinte motivo: somos não ansiosos em uma sociedade ansiosa. Somos não ansiosos por causa da presença fiel de Deus em Jesus Cristo em quem confiamos. Observe com muita atenção como somos diferentes por causa da verdade do evangelho, a verdade da vitória pascal de Deus sobre tudo o que ameaça nossa vida e nosso mundo.

✣ ✣ ✣

A boa-nova de Jesus se opõe ao medo profundo da morte em nossa sociedade. Em um mundo em que o Deus dos vivos não é conhecido, nem é objeto de confiança, usamos imensa energia para evitar a morte, tentando permanecer jovens, tentando permanecer belos, tentando manter a boa forma, tentando manter a boa saúde e, senão jovens e belos, fortes e saudáveis, pelo menos ricos a fim de ter segurança. Mas, no fim das contas, todas essas tentativas frenéticas de aprimorar a vida são inúteis. Pois a morte, como a vida, está nas mãos de Deus. E nós estamos seguros.

A verdade é que a desesperança não constitui uma aflição dos desamparados. Sim, alguns que estão em situação precária e têm motivo realmente perdem a esperança. A grave patologia da desesperança, contudo, aflige os abastados, que imaginam que já temos tudo o que vamos receber. Quando não temos mais dádivas a receber, podemos deixar de entrar pelas portas com ações de graças. Podemos deixar de celebrar com júbilo, pois desejamos ficar quietos, nos acomodar e ser dóceis a fim de não causar tumulto. Em nossa cultura, estamos praticamente sendo destruídos por nossa tecnologia, que prende tudo em seu devido lugar. Não seria grande surpresa descobrir que a tecnologia na qual tanto confiamos não passa de um instrumento de desesperança, pois reduz as possibilidades ao sistema.

Recebemos de Jesus uma garantia para o longo prazo: Deus é o Deus dos vivos. Além disso, porém, temos liberdade para o curto prazo, capacitados por essa notícia de Deus a viver de forma diferente, a usar tempo, energia e recursos de uma forma que vai além de nós mesmos, pois nossa felicidade já está garantida e não precisamos usar energia nenhuma para obtê-la. Ocorre-me que a garantia de Jesus, "Deus é o Deus dos vivos", também é uma convocação, um convite, um imperativo: "Certifiquem-se de que estão entre os vivos", vivos para a vida que Deus lhes confere.

✢ ✢ ✢

O que causa a exaustão de pessoas como nós? Não é trabalhar demais que nos deixa exaustos. Antes, proponho, é viver uma vida contrária a nossa verdadeira natureza de criaturas, é ser colocados em uma situação falsa, que leva nossos afazeres diários a contradizer aquilo que sabemos claramente a respeito de nós mesmos e que mais amamos a respeito de nossa vida como filhos de Deus. A exaustão é decorrente da exigência de que sejamos, em certa medida, diferentes do que realmente somos; essa alienação requer energia demais para operarmos.

✢ ✢ ✢

Se você reage com aversão ao novo tom estrepitoso e arrogante da religião na política, se você se preocupa com o espírito de divisão entre "vermelho" e "azul"* e se lhe irrita o fato de pessoas demais afirmarem que falam diretamente em nome de Cristo, talvez lhe pareça que o objetivo de nossa fé cristã é entender corretamente questões morais e influenciar outros a pensar e agir corretamente, como nós

---

* Na política norte-americana, vermelho representa o Partido Republicano (conservador) e azul representa o Partido Democrata (liberal). (N. da T.)

agimos. Mas, se esse é seu conceito, você está redondamente enganado, pois essa afetação contemporânea ostensiva não diz respeito à fé, mas sim à ansiedade e ao desejo de manter o controle sobre o mundo. Proponho que o objetivo de nossa fé não é definir convicções morais. Antes, é a abertura para o deslumbre e a reverência em grato louvor.

✤ ✤ ✤

Não desejamos escolher definitivamente entre o roteiro dominante do militarismo terapêutico tecnológico de consumo e o contrarroteiro do Deus indefinível e irascível. A maioria de nós vacila ou sussurra em nossa ambivalência. Essa ambivalência assume uma forma conservadora de atenção a coisas pessoais e familiares, enquanto o âmbito público é deixado para a ideologia do mercado. Essa ambivalência assume uma forma liberal com uma consciência subjetiva que coloca um filtro cortês e irônico entre o que dizemos e o significado pretendido. A ambivalência atinge todos os membros da igreja, liberais e conservadores, e se apodera de todos os ministros de todas as classes.

A ansiedade acerca de nossa irresolução alimenta um ministério que nos faz temerosos, estridentes e adversários. A ansiedade leva a nos alistarmos como ministros vermelhos ou azuis em igrejas vermelhas ou azuis. A ansiedade impede o descanso do Sábado, o gracejo dos pássaros, o ócio dos lírios.

Existe evidentemente um antídoto, embora seja administrado em forma patriarcal: "Essas coisas ocupam o pensamento dos pagãos, mas seu Pai celestial já sabe do que vocês precisam" (Mt 6.32).

E, no pós-ansiedade, restam-nos somente o reino de Deus e a justiça de Deus.

✛ ✛ ✛

Uma vez que o futuro pertence a Deus, e uma vez que ele será gracioso para conosco no futuro, não precisamos planejar continuamente nossa felicidade, segurança, prosperidade, proteção e reputação. Todas essas preocupações podem ser confiadas a Deus. Ficamos livres para cuidar de outras questões, a saber, coisas que pertencem ao futuro de Deus. Nossa sociedade é assediada por terríveis preocupações a respeito do futuro e de nossa sobrevivência. A fé cristã, porém, não é uma promessa de que sobreviveremos, ou seremos felizes, ou receberemos uma recompensa. É, isto sim, a asserção de que fomos libertos dessas questões, de que podemos cuidar do futuro e daquilo que ele pode se tornar, pois todos os problemas de manutenção já foram resolvidos.

Jesus ordena que não nos preocupemos como o mundo se preocupa, de maneiras que nos tornam loucos, mesquinhos, irados, odiosos ou briguentos. Essa é uma ordem proferida por Jesus, e ele próprio é não ansioso e sereno. Aliás, é difícil imaginar Jesus ansioso. Ele se mostra destemido diante do governador romano em seu julgamento, sereno diante dos sumos sacerdotes em sua inquisição repleta de horror na quinta-feira, imperturbável quando a tempestade ruge, inteiramente em paz mesmo na tormenta feroz no mar da Galileia. É destemido, não ansioso, não preocupado. E convida seus discípulos a permanecerem perto dele e compartilharem de sua presença não ansiosa.

✛ ✛ ✛

A verdade é que pessoas assustadas jamais transformarão o mundo, pois gastam energia demais protegendo a si mesmas. É a vocação dos batizados, dos conhecidos, dos nomeados e dos destemidos, restaurar o mundo.

✛ ✛ ✛

Agora, todas as comunidades se preocupam porque os velhos costumes não funcionam mais. E, em sua ansiedade, são tentadas a elaborar toda espécie de regulamento controlador e encontrar formas de ser exclusivas a fim de manter os "outros" do lado de fora, para que a vida permaneça livre de perturbações e complicações, como se isso pudesse nos proteger. Por toda a comunidade local há um medo, um medo alimentado continuamente pelos medrosos, medo da imigração, da economia, dos combustíveis, dos terroristas, medos manipuláveis de todo tipo que nos transformam em uma sociedade preocupada e até mesmo paranoica. A igreja, contudo, pronuncia outra palavra nesse contexto. É uma palavra de pregação e vida, de testemunho e ação, de que somos destemidos e convidamos o mundo a ser destemido conosco.

✛ ✛ ✛

Jesus sabia que tinha vindo de Deus, a quem ele pertencia. Sabia onde estavam suas raízes. Tinha vindo de Nazaré, ou de Belém. Tinha vindo de sólida linhagem judaica. Mas, na verdade, não era dali que tinha vindo. O que ele sabia com certeza era que tinha vindo do amor de Deus que o estimava desde a fundação do mundo, antes de ele receber nome, antes de ser dado à luz, antes de ser concebido; foi entretecido na trama da criação que o Criador ama. Ele havia recebido sua existência do amor e podia recorrer confiadamente a esse amor leal em que era conhecido, estava seguro e era estimado. Jesus contrasta nitidamente com aqueles de nós que são tão consumidos pela ansiedade e corroídos pelo medo que não sabem de onde vieram ou a quem pertencem.

Jesus sabia que ia para Deus. Conhecia seu futuro. Não especulou sobre ressurreição, imortalidade, vida depois da morte, segunda vinda ou análises religiosas detalhadas das promessas de Deus. Sabia que Deus é Deus, cheio de graça e de verdade, e que Deus permaneceria e governaria depois que todas as ameaças tivessem sido esvaziadas de seu veneno. Sabia, mesmo antes de ser redigido o catecismo, que a única fonte de consolação e força nesse mundo e no mundo por vir é que ele pertencia a seu fiel Deus criador. Ele sabia que seu destino era a felicidade na comunhão dos santos, na qual tudo é perdoado e há alegria e pacificidade. Aqueles que andam ansiosos, irrequietos e tensos não sabem que vão para Deus e que estarão seguros ali. Imaginam que só vão para os próprios bens e a própria segurança, pois imaginam que estamos completamente sozinhos no mundo.

Deus não disse: "Busquem-me no caos". Acolham o caos, encarem-no por inteiro e reconheçam-no. Mas não fiquem fascinados demais com a perda, o fracasso e a brutalidade. Não se demorem demais ali, como se fosse o lugar de revelação de Deus. Antes, fiquem atentos para a operação poderosa de Deus que transcende o caos a fim de formar um novo mundo, uma nova comunidade, novas pessoas, nova possibilidade.

✤ ✤ ✤

Somos os exaustos que Jesus convida com suavidade: "Venham a mim todos vocês que estão cansados e sobrecarregados, e eu lhe darei descanso" (Mt 11.28), pois somos excessivamente ocupados e excessivamente ansiosos a respeito da manutenção de nosso mundo. Somos excessivamente ocupados e excessivamente ansiosos porque acreditamos que um telefonema a mais, uma reunião a mais, uma análise de desempenho a mais, uma inspeção a mais para nos certificarmos de que as luzes estão apagadas, a louça está lavada e as mensagens foram respondidas, uma coisa a mais poderá tornar este lugar melhor e aprimorar nosso senso de identidade.

Mas é claro que nunca é suficiente, pois nosso senso ansioso de responsabilidade jamais tocará a verdade da criação. Isso porque a verdade da criação, sem nenhuma referência a nós ou à nossa necessidade de corrigir as coisas, é que Deus ordenou o mundo em sua fartura; o mundo concretizará sua exuberância vivificadora sem nós, desde que não atrapalhemos.

Aonde o Deus do evangelho chega, vidas são transformadas e temos liberdade e coragem de levar uma vida de entrega, e o fazemos de bom grado. Jesus sempre vem e diz: "Não temam", e nos convida a confiar plenamente, tão seguros, tão valorizados que não precisamos pensar em nós mesmos. Ele vem e diz: "Minha paz lhes dou". Verdadeiramente, o medo é lançado fora.

✧ ✧ ✧

Há um poder que transcende o medo. Há uma dádiva de amor abnegado. Há um batismo. Há notícias inéditas. Há um mandamento para a nova vida. O medo insiste em aflorar em nosso meio com autoridade. Mas os batizados lhe resistem. Agora sabemos que há um modo mais excelente de viver, de tudo esperar, tudo suportar. Esse modo de viver nunca chega ao fim; é uma dádiva que continua a dar.

4

Fidelidade de Deus e nossa

Conversas sobre morte e ressurreição não são fúnebres, nem são especulação sobre "vida depois da morte". São, na verdade, conversas pascais. Consistem em esperar o poder de nova vida, nova energia, nova coragem e liberdade e receber esse poder, permissão para ser quem você é de fato, permissão que você não estava disposto a receber, coragem para ser a igreja fiel, não mais atolada em nossa habitual mediocridade, a capacidade de ser uma comunidade verdadeiramente humana, que supera nossa ganância, nosso medo de brutalidade, uma comunidade daqueles que "cantam quando voltam com a colheita" (Sl 126.6).

✣ ✣ ✣

Deus colocou as sementes de nova vida onde jamais cogitaríamos procurar. Na tradição cristã, é claro, ousamos dizer que a bênção de Deus está localizada na vida de Jesus, uma vida que tem Herodes no começo e Pilatos no fim. No entanto, o mundo inteiro se volta para ele como o centurião no final e diz: "Abençoa-me".

O drama da bênção, tão comovente em Jesus, não é limitado ao corpo de Jesus. Também opera em conformidade com o cálculo singular de Deus onde quer que formas de poder esvaziadas e falidas tenham de se aproximar, em atitude de petição, dos portadores de vida escondidos e despercebidos. É um imenso escândalo, mas nossa fé é edificada sobre a declaração escandalosa de que o poder de Deus é concedido nos lugares escondidos, para que as manifestações mais ostensivas de poder tenham, por fim, de se aproximar e dizer: "Abençoa-me".

✤ ✤ ✤

Há um aspecto severo, duro e intransigente em Deus, aquele que, por fim, exercerá soberania ponderosa no processo histórico-político quando a zombaria tiver chegado ao limite. Quando grande poder perturba o fluxo da história de Deus, depara com terrível desgraça e destruição.

✤ ✤ ✤

Fé não é terna autogratificação cheia de mimos, que nos leva a colar a resposta para as perguntas difíceis. Antes, a fé proporciona um conjunto de convicções que nos ajuda a ver com clareza. A verdade não consiste em adotar uma porção de fatos ou teorias em nome de uma pretensa objetividade. Antes, a verdade é a forma genuína da realidade, antes de ser distorcida por nosso preconceito ou apreendida por nossa preocupação interesseira. De longa data, a igreja afirma que sua fé é um convite para ver o mundo de modo claro, completo e honesto.

✤ ✤ ✤

Quando os discípulos pedem mais fé, ele responde que é preciso fé apenas do tamanho de um grão de mostarda. É preciso apenas um pouco: um pouco de fé, de confiança em Deus, de certeza da bondade de Deus, um pouco de disposição de permanecer em gratidão, e você exercerá impacto enorme sobre o mundo, rompendo os ciclos de destruição. Jesus falou de mover uma árvore, algo que nos parece imóvel, uma imensa árvore de ódio, uma montanha de raiva, um oceano de maus comportamentos, pois o poder da generosidade e da reconciliação é uma força moral surpreendente no mundo, um inesperado arroubo de encanto, e quebra as cadeias da mortalidade.

A cura é o estranho ato de poder da vida presente no meio do poder da morte, ou, de modo mais simples e direto, a cura consiste em vida humana que faz contato com vida humana, em encontrar juntos a dádiva de nova possibilidade estranhamente concedida.

O louvor é uma proclamação abrasiva de que este é o mundo de Deus. Deixa-nos abertos para a dádiva divina do Espírito. Deixa-nos abertos para a convocação divina à obediência. Deixa-nos abertos para o prometido reino divino. Quando a doxologia não é entoada, murchamos e nos tornamos embrutecidos e amedrontados. Quando louvamos, temos a oportunidade de exercer nossa vocação à imagem de Deus.

O caráter de Deus concedido a nós em Jesus é tão avassaladoramente poderoso para cuidar da vida, não apenas na presente era, mas na era por vir, que podemos ter convicção a respeito do longo prazo, pois o longo prazo está seguro nas bondosas mãos de Deus.

✢ ✢ ✢

Deus não é um princípio cego de destino. Deus não é uma ameaça abstrata, nem um poder indiferente. A vida toda de Deus é marcada por sua inclinação de estar conosco e a nosso favor, de nos fazer o bem.

✢ ✢ ✢

A capacidade de Deus de ser fiel enche toda a criação, os céus, as nuvens, os montes, de tal maneira que toda a vida é redefinida independentemente de objetos científicos, geológicos, mensuráveis, controláveis, redefinida em conceitos de relacionamento. O que conta para a forma da realidade é a confiança e a capacidade de deixar que o bom mistério de Deus permeie e sature a vida. O mundo destila em todas as suas partes a fidelidade de Deus.

✢ ✢ ✢

Aquele a quem oramos é, verdadeiramente, inabalável, compassivo, fiel, misericordioso. Esse Deus é tão leal que somos convidados a acabar com nosso ateísmo, a deixar para trás nossa identidade distorcida e nossa comunidade destruída e disfuncional e voltar para casa. Esse é um Deus de luz gloriosa, suficiente para iluminar e vivificar nosso caminho.

✢ ✢ ✢

Em nossa sociedade e em nossas igrejas, somos fortemente tentados a fazer monólogos. Essa tentação imagina certeza e soberania absolutas e, sem nenhum critério, imagina que qualquer um de nós pode falar com a voz e a autoridade do Deus monológico. Tal convicção é um ato de idolatria.

No âmbito público, a hegemonia econômico-militar dos Estados Unidos exerce a prática monológica de poder que impõe à força sua vontade sobre outros e cala as vozes contrárias. A mesma propensão é evidente no governo agora cooptado e controlado em grande medida por interesses abastados que correspondem a nada menos que uma oligarquia na qual as vozes da necessidade mal podem ser ouvidas. A meu ver, não é muito diferente nas igrejas, em que se fazem julgamentos e se tomam posicionamentos que produzem sons de absoluta certeza sem nenhuma percepção de que a própria vida de Deus no mundo é dialógica, ou de que existe uma diferença inevitável entre a vontade de Deus e nossa percepção dessa vontade.

E, no entanto, se não soubermos que Deus é dialógico, jamais entenderemos que a verdade assume forma dialógica entre os membros da igreja e da sociedade de uma maneira que evita a acomodação imediata. Essa consciência teológica exige, em nosso meio, que desaprendamos em grande medida a teologia monológica convencional da igreja. A manifestação de um Deus dialógico se torna a premissa para a comunidade humana dialógica que impede autoridade absoluta e submissão absoluta.

✛ ✛ ✛

A profunda realidade do abandono divino não levou a silêncio e resignação. Antes, levou a vigoroso protesto, acusação e petição que resultaram em atenção divina. E, se nos perguntamos por que o abandono gerou discurso, isso se deve ao fato de que tudo nessa comunidade dialógica gera discurso. Israel sabe, e depois de Israel Sigmund Freud e Martin Luther King Jr. e muitos outros, que pronunciamentos geram novidade. Pronunciamentos avivam possibilidade social, mas o fazem porque nós — todos nós — somos feitos à imagem do Deus dialógico. Louvor, a voz alternativa dessa comunidade, não é discurso fácil; surge somente depois de relatada a dura provação, verdade difícil para todos os ouvidos poderosos, o que inclui os ouvidos do Deus poderoso.

✢ ✢ ✢

Graças às maravilhosas dádivas de Deus para nós, sabemos que regras são interessantes, mas não fundamentais.

✢ ✢ ✢

Atestamos que não há como levar uma vida fiel, produtiva e alegre a menos que se tenha no cerne graça e verdade, fidelidade e confiabilidade. Obviamente, é isso que queremos dizer quando falamos da ênfase da Reforma sobre graça imerecida. Foi o que Agostinho quis dizer quando se expressou belamente com as palavras: "Nosso coração permanece irrequieto enquanto não encontra descanso em ti". Temos observado, no âmbito pessoal e público, a concretização e os efeitos do egoísmo. Aliás, sabemos desde o início que esses esforços não funcionam e não são um substituto viável para a graça inerente aos processos de criação e da história. Até mesmo em nossa cultura, hoje tão profundamente secular e desnorteada, a graça e a verdade continuam a ser os alicerces irredutíveis da vida humana viável e sustentável.

✢ ✢ ✢

Alguns em nosso meio são tocados pela benevolência de Deus, e encontram nesse toque justificativa para se preocupar com outros de modo inclusivo. E alguns em nosso meio voltam o foco para a indômita severidade de Deus, e desenvolvem a partir dela um programa de distinção moral impaciente e exigente. Não poderia ser diferente. Se asseveramos que o céu vem à terra, recebemos não apenas a maravilhosa solidariedade do perdão, mas também a rigidez da santidade de Deus. O programa de severidade é difícil de suportar, pois se transforma em um conjunto de proposições humanas intolerantes, com base minimamente suficiente para torná-lo tão perigoso e convincente quanto a proposição de Deus.

Tendo em conta esse estado não resolvido de Deus, a tarefa teológica não consiste apenas em crença escrupulosa e adjudicação imparcial. Trata-se, na verdade, de uma defesa que nasce da audácia de Moisés de invadir o cerne da vida de Deus e insistir no plano A, de invadir os átrios da vida no mundo e insistir que a verdade de Deus como cura é uma proposição absoluta diante da severidade claramente discernida de Deus.

Na imaginação interpretativa de Israel, tudo o que acontece é considerado manifestação e indício da fidelidade perene (*hesed*) de Javé; sabe-se que o mundo e seus processos históricos são impregnados de constância e estabilidade divinas.

O Deus que nos envia para discipulado, exílio e risco missional, o Deus que deseja nossa presença nos pontos críticos de injustiça, na ferida aberta de alienação e desesperança, o Deus que nos coloca ali, é o Deus mãe que conforta. Ser confortado pela presença de Deus é uma alternativa para nossa busca por permanecer confortáveis. O evangelho é sempre contrário a permanecermos confortáveis, para que sejamos confortados em nossa doença, em nosso desconforto. Convido-o a pensar nessa tremenda distinção entre permanecer confortável e ser confortado, entre nossa capacidade de lidar com situações e nossa disposição de ser abraçados e acolhidos, acalentados, cuidados e amamentados por esse Deus que agora fala e que nos segura nos braços na noite escura da dor, que segura nosso corpo trêmulo de lágrimas de exaustão e desesperança.

Esse Deus maternal que declara "conforto" apenas em meio ao exílio, que fala com brandura somente quando estamos magros e necessitados, esse Deus estranhamente disponível é conhecido por nós em texto e tradição, em credo, cântico e sacramento, mas, por fim, é conhecido em recôndita comunhão quando separamos tempo em nosso desconforto para ser abraçados no lugar secreto de nossa dor.

✢ ✢ ✢

Bondade, segurança, felicidade não são estabelecidas por nós como dádiva para Deus, algo que oferecemos, mas vêm a nós, são concedidas, são a forma pela qual Deus nos tranquiliza em nossa presente condição. Somente o próprio Jesus é dádiva divina de felicidade que recebemos pela fé, abrindo-nos para a verdadeira singularidade de Jesus que é a graça.

✢ ✢ ✢

No diálogo da vida e da fé, essa outra voz de constância vem se pronunciando desde toda a eternidade, muito antes de falarmos, muito antes de sofrermos. A constância de Deus não intervém tarde demais, apenas em um último instante desesperado, se é que intervém. A fidelidade de Deus estava aqui primeiro, pronunciada sobre nós antes de sabermos como fazer petições, queixas, orações, antes de sabermos ter esperança. O primeiro discurso decisivo de Deus é sempre reverberante, e essa asserção poderosa transforma nosso modo de falar, até mesmo sobre solidão e violência.

Cedo ou tarde, a amnésia cria um ambiente de perda em que a vida é vivida fora do âmbito da fidelidade de Deus, aquele que é nosso verdadeiro lar. Quando as histórias não são conhecidas, a vida, o dinheiro, o poder e a sexualidade são organizados sem nenhuma referência à santidade de Deus, e esse é o caminho para a destruição.

A verdade profunda de nossa fé e de nossa memória é que fomos chamados para longe de nossa própria vida e para perto da vida de Deus e, então, enviados de volta para viver de modo diferente. Nossa vida não nos pertence. Não temos liberdade de fazer o que desejamos, e não somos abandonados para fazer o que desejamos. O Deus que sabe melhor como devemos viver para ter inteireza, felicidade e alegria nos segura firmemente em suas mãos.

O discurso de Deus muda nosso discurso. A palavra de Deus transforma nossas conversas. A realidade de Deus muda nossa vida. A dor, o fracasso, a inquietação e o medo ainda estão presentes, mas agora são contidos na misericórdia de Deus, mais extensa que o mar. Em nosso culto regular, celebramos o fato de que nosso discurso é um discurso sério de vida e morte, contido dentro de um diálogo. Aqui, a conversa é sempre sobre constância, fidelidade e perdão, sobre ser curado, abraçado e restaurado, sobre recomeçar.

✢ ✢ ✢

Ser a melhor versão de nós mesmos no melhor mundo verdadeiro significa ter uma vida de profunda constância, fiel à nossa identidade, fiel ao próximo, fiel a Deus. Pessoas como nós podem ter a vida transformada. Podemos viver de modo diferente porque esse Deus diferente governa.

✢ ✢ ✢

Este é um convite para inclinar nossa vida em direção à poderosa realidade de Deus. Nossa principal ocupação é inclinar a vida desse modo. Não pertencemos a nós mesmos. Não criamos a nós mesmos. Não podemos, em última análise, cuidar de nós mesmos. Nossa vida pertence a Deus e existe para os propósitos magníficos de Deus. Essa é a boa notícia. Nossa tarefa de fé consiste em encontrar maneiras de perder a vida com alegria e em obediência, louvor e oração, e encontrar a vida a nós concedida muito além de nossa maior esperança.

✢ ✢ ✢

Tome o jugo de Jesus. Tome o jugo dele sobre si. "Jugo" significa governo, disciplina ou cronograma de produção. A maioria de nós se colocou debaixo de jugos exigentes, que esfolam nosso pescoço e nossa vida e nos deixam perpetuamente exaustos. Em vez desses jugos, tome o jugo de Jesus, pois seu fardo é leve e seu jugo é fácil de carregar. É o jugo do discipulado. Tem suas exigências. Esse convite de Jesus não é barato nem gratuito. Mas as exigências são de outra espécie: não competência, produtividade, conformidade, mas liberdade para abordar a vida de seu próximo com desvelo.

Quando tomamos o jugo de Jesus em lugar de nossos milhares de outros jugos de escravidão, há descanso do trabalho inútil. Não é o descanso de um ano na praia; não é ócio despreocupado. Antes, é a profunda satisfação de fazer aquilo que constitui a razão de sua vida, de adequar seus esforços a seu verdadeiro caráter, de fazer aquilo que você é de fato.

Em um mundo de afirmação parcial, transigência e volubilidade, há uma constante. Nossas lealdades humanas, em algum momento, são todas ambíguas, até mesmo mãe, pai, esposa, marido e filhos. Vagueamos para dentro e para fora de amor e ódio, confiança e desconfiança, constâncias e inconstância. É exaustivo. Jesus diz que no cerne de sua vida, no centro de sua identidade, você deve confiar nessa constante singular, e em nada mais. Não permita que seu compromisso com a vida, seu zelo por uma visão clara, sua determinação de ser discípulo sejam corroídos por transigência, cinismo ou desesperança, ao imaginar que a fidelidade a Deus pode fazer alianças com todos os *talvez* ao nosso redor. Não separe pequenos fragmentos de sua vida desse amor leal singular.

Comam, aproveitem, saciem-se o suficiente, esqueçam o suficiente, até que cheguemos ao ponto em que não mais diremos: "Façam isto em memória de mim", pois esse "mim" que se refere a Deus foi sufocado em um vácuo.

✣ ✣ ✣

A constância desaparece em uma grande farra de autogratificação. Não nos lembramos mais do Deus fiel; não nos lembramos mais de imitar Deus em sua fidelidade; não nos lembramos de que a constância é a moeda corrente de nossa humanidade. Onde a memória falha antes da amnésia e onde a constância dá lugar à autogratificação, nesse mundo não há gratidão, não há reconhecimento de que a vida é uma dádiva; temos liberdade de imaginar que ela é uma realização ou um bem. Onde não há gratidão, não há oferta de ação de graças, não há abnegação, não há Eucaristia, essa magnífica refeição de gratidão.

✣ ✣ ✣

A questão não é se você se sentiu à vontade. A questão é se você fez alguma coisa ou aprendeu alguma coisa a respeito da igreja ou de si mesmo que o incomodou. Foi além de sua autoconfiança e descobriu-se desmantelado e no exílio? E se sujeitou ao cuidado do Deus mãe que o confortou além de toda a sua capacidade de lidar com a situação? Em oposição à nossa severa urgência moral, há um abraço que acontece no cerne de nossa necessidade e de nossa fome. Contra nossa ávida ortodoxia, há amor que lembra que somos pó. É uma profunda afabilidade experimentada apenas no exílio. E esse abraço do Deus que cuida dos exilados é a única fonte de apoio e sustento adequados para o ministério, ou para a fé.

5
Jesus

Jesus transcende todos os conceitos habituais de poder, pois corporifica o terno, gracioso, resiliente e exigente poder de Deus. Não permanece ocioso em santuários, cidades e dinastias, mas atua no poder e na verdade do Deus criador.

Jesus vira tudo de cabeça para baixo. Coisas são ocultadas daqueles que deveriam saber, exigem saber e fingem saber. E a verdade de Deus é dada desimpedidamente àqueles que não se esforçam para juntar todos os segredos. Portanto, diz Jesus, se você deseja conhecer os mistérios, está procurando no lugar errado, pois são os pequeninos que os conhecem.

Em meio à nossa busca por ortodoxia para nos certificar de que as pessoas creiam corretamente, ou por moralidade para nos certificar de que as pessoas ajam corretamente, ou por piedade para nos certificar de que as pessoas orem corretamente, os pequeninos sabem que esse Jesus é suficiente. É suficiente conhecer Jesus, pois nele entendemos como Deus é e como ele age. Para esse Jesus, a questão se resume a atos e cuidados em favor do próximo. Foi o que Jesus fez. Resume-se a receber nossa vida de Deus como dádiva e vivê-la com gratidão. Se você voltar o foco para esse Jesus, conhecerá o mistério do funcionamento da vida. Ele lhe será revelado, e você terá o suficiente para viver bem, com liberdade e responsabilidade. Portanto, a primeira conversa de Jesus, a conversa com Deus, é uma declaração a respeito de onde a fé deve ser radicada, e passa direto por toda nossa complexidade. Estar com Deus significa permanecer bem próximo dos caminhos simples, atenciosos e exigentes de Jesus.

✢ ✢ ✢

Tornamos Jesus excessivamente piedoso, bonzinho, paciente, cortês. Ele não era nenhuma dessas coisas. Era um tipo alternativo e perigoso de poder, preparado para fazer denúncias e dar nome aos bois, para descrever relações sociais de modo perfeitamente realista; contava com o fato de que, no final, todo o poder atroz e abusivo do mundo não conseguiria prevalecer. Sua honestidade se fundamentava em sua confiança no governo de Deus.

✢ ✢ ✢

Foi exatamente em Jesus, somente no Senhor, que a plena santidade de Deus tocou a vida humana. Essa é uma realidade tão evidente, e tão facilmente esquecida. A igreja guarda sua fé ao se recordar do caráter decisivo de Jesus.

✢ ✢ ✢

A igreja deve narrar infindavelmente suas histórias de Jesus, pois nessas histórias de Jesus contemplamos a glória do Pai, cheio de graça e de verdade. A imposição de santidade não acontece de maneiras amplas, grandiosas, religiosas e magníficas. Acontece onde um filho é acolhido no lar, onde o próximo recebe honra e cuidado, onde a prostituta é amada, onde o leproso é tocado e purificado, onde a multidão é alimentada, onde o homem culpado é perdoado, onde a mulher encurvada se endireita, ri e dança. A declaração a respeito da glória de Deus na vida de Jesus não é feitiçaria mística e sobrenatural, mas sim a confiança da igreja de que na vida de Jesus vemos tudo o que Deus pretende, deseja, age e pede de nós. É extremamente diário, concreto, envolvido com a dor e abnegado. É a face dele que deslumbra com luz e poder vivificadores.

Alguns tinham dúvidas sobre Jesus. Mandaram perguntar se ele era aquele que haveria de vir, aquele que assumiria o controle. Ele se recusou a dar uma resposta direta. Disse que, por onde ele passa, manifesta-se a verdadeira e mais excelente criação. Os cegos veem, os aleijados andam, os leprosos são purificados, os mortos são ressuscitados, os pobres têm suas dívidas canceladas. Onde o verdadeiro Senhor está, ali há um mundo verdadeiro. Onde há verdadeiro governo, a vida adquire saúde. O governo desse Deus é boa-nova a ser crida e, então, a ser vivida!

Precisamos falar sobre morte, não porque somos excessivamente fascinados por ela ou porque é divertido tratar desse assunto, mas porque no drama da Sexta-Feira Jesus sabia quem ele era e se entregou pelo mundo em amor, entregou-se aos pobres, aos necessitados, aos sem esperança, mas também aos sábios, aos fortes, aos controladores. E, nesse ato de vulnerabilidade, seu poder de amar rompeu todo o poder da violência e da brutalidade.

✠ ✠ ✠

Não costumamos imaginar um Jesus forte. Paulo, contudo, escreveu que a fraqueza de Cristo é mais forte que a força humana. Jesus não cedeu. Não transigiu em sua visão nem em sua vocação. Não foi demovido por seus oponentes, nem pelas ameaças do tribunal, nem pelo sofrimento na cruz. Tinha uma força tranquila, confiante, pois sempre soube quem era, um com o Pai. E aqueles que o seguem de perto conhecem esse tipo de força; não é força violenta, mas compassiva e generosa, a capacidade de estar no mundo de forma diferente e, portanto, dedicada à novidade do mundo.

✠ ✠ ✠

Há uma insistência na vida de Jesus de que inocência confere poder, de que desumanidade não é uma política segura, de que honestidade é exigida da realidade, e de que as coisas precisam ser chamadas pelo nome certo. Faz uma diferença enorme se as disputas por poder ocorrem em um contexto de realidade moral inflexível. Jesus foi morto porque denunciou a falsa organização de poder que não dava atenção nenhuma aos pequeninos, com os quais ele se identificava.

✠ ✠ ✠

Jesus se tornou para nós a lente através da qual relemos o poder, as relações sociais e as políticas formais. Jesus se coloca ao lado de todos os impotentes em sua oração abrasiva que exige de Deus justiça para a terra. A inocência de

Jesus desmascara e ameaça todos os outros tipos de poder. Seria uma Páscoa e tanto se a igreja resolvesse ser honesta acerca dessa proposição moral. Seria um golpe memorável! Não é de admirar que Jesus tenha causado preocupação ao governador e frenesi na multidão. Eles o mataram, mas ele continuou a orar com sua honestidade perigosa e abrasiva. A oração que ele faz assevera que de Deus não se zomba: "Pois o SENHOR ouve o clamor dos pobres; não despreza seu povo aprisionado" (Sl 69.33).

Jesus era uma séria dissonância por onde passava. Era excêntrico; não se encaixava nos conceitos de ninguém. Jesus era estranho, e não sabiam o que fazer com ele. Quando entrava em uma sala, tudo mudava. O lugar onde ele sentava se tornava, de imediato, a cabeceira da mesa.

Em um mundo de medo, alienação, ressentimento, rancor e ansiedade, Jesus vem para ser pacificador. A paz que ele promove acontece somente por meio da vulnerabilidade, de expor-se a risco e, desse modo, quebrar os círculos viciosos de violência. A referência a seu "sangue" é uma forma de falar de seu amor sofredor, por meio do qual ele trata do poder da morte que nos cerca. O mundo de Jesus é diferente. É um mundo em que ele fez paz. E agora nós que fomos batizados somos recebidos em sua companhia e em sua obra para sermos pacificadores em lugares difíceis, para recusarmos o caminho da ira, do medo, do ódio e do ressentimento a fim de concretizar um mundo de gratidão, generosidade e perdão.

✣ ✣ ✣

O povo ouviu Jesus dizer a Zaqueu: "Você é filho de Abraão". Jesus disse ao coletor de impostos que as antigas promessas de vivificação em Gênesis se aplicavam a ele e eram válidas para ele. Disse que ele tinha futuro, pois Deus havia lhe feito promessas. As pessoas comuns nunca tinham ouvido coisa parecida, nem lhes havia sido permitido pensar em algo semelhante. Nunca tinham ouvido falar de um Deus que fazia promessas e concedia futuros. E certamente nunca tinham ouvido essas palavras serem declaradas para elas. Aqueles que administravam o *status quo* haviam monopolizado para si todas as boas notícias, todas as antigas histórias e todas as vivas promessas, e haviam deixado a gente comum do lado de fora, sem que essa gente sequer pudesse olhar para dentro. As pessoas ficaram encantadas, pois jamais haviam imaginado que algo assim fosse possível. Regozijaram-se e reuniram-se ao redor dele.

Não apenas ouviram e ficaram encantadas. Também viram e ficaram encantadas. Viram que aquele homem estranho não apenas falava, mas também colocava suas palavras em prática no meio delas. Sua pessoa tinha poder para curar, transformar e renovar. Os que não tinham acesso à cura nem ingresso ao perdão, eles viram. Tinham sido excluídos, e ele os acolheu. Logo perceberam, como ele tinha dito a João Batista: "Por onde passo, o poder de nova vida remoinha". Os cegos veem, os aleijados andam, os surdos ouvem, os leprosos são purificados, os mortos são ressuscitados, os pobres se regozijam. Reunidos em um grupo fascinante, estavam os ex-cegos, os ex-pobres, os ex-surdos, os ex-aleijados, os ex-mortos, os ex-leprosos, todos "ex", todos fora; agora, todos do lado de dentro. E os antigos privilegiados resistiram à perda de monopólio. Era impossível permanecer neutro com relação a Jesus; ou você se opunha a ele, ou se comprometia com ele.

✜ ✜ ✜

O teste e a norma é a realidade de Jesus. Olhe para Jesus, pois ele confronta tudo o que o mundo diz sobre poder. Você deseja conhecer alegria, felicidade, verdade e bondade. Olhe para Jesus. Não foi servido, mas serviu. Não tenho dúvidas de que o mundo depende de Jesus. Não tenho dúvidas de que, na vida cotidiana, o mundo depende das pessoas dedicadas a Jesus que entregam sua vida. O que mais lhe resta fazer senão entregar sua vida? Guardar e salvar sua vida e deixar que se estrague? Não. Entregue-a como resgate. Pense hoje em estar em outra conversa, outra comunidade, outro cálice, outro batismo. Estamos em um momento decisivo em nossa sociedade. Nesse momento, recebemos o vislumbre de um caminho mais excelente. Igrejas locais, conversas locais, serviço local, contribuição local, cálices locais para beber, batismos locais para viver, maneiras locais de ser fiéis e alegres, formas locais de poder para a vida. A história em Marcos 10.35-45 começa com tronos gananciosos. Quando chegamos ao fim da história, o assunto mudou. Agora, o tema é serviço, cura e resgate. Que maneira extraordinária de ser o primeiro e o maior! Venha e tenha uma mudança de assunto.

✜ ✜ ✜

Desde o princípio, sabemos disso a respeito de Jesus, cheio de graça e de verdade. Sabemos de suas histórias e nos lembramos de sua carne. Desde o princípio, contudo, sabemos de outra verdade espantosa a respeito de Jesus. Sabemos, como a igreja sempre soube, que Jesus faz parte de uma história mais ampla. Não, ele não faz parte de uma história maior, mas é o centro, o foco, o personagem principal da grande história do céu e da terra. A igreja, desde seu primeiro pronunciamento, não mediu esforços para ligar esse sujeito de Nazaré — nascido de Maria, executado por Roma — ao grande mistério do mundo. Não fomos capazes de dizer tudo o que percebemos a respeito dele. Algumas de nossas tentativas de expressão foram tolas, um tanto primitivas, constrangedoramente sobrenaturais, mas continuamos tentando na igreja, pois não quisemos deixar que a história de Jesus fosse uma história pequena, que enfraquece seu mistério, ou nega seu brilho, ou limita seu poder de novidade.

Foi isso que vimos no sujeito de Nazaré. Ele é quem cavalga nas nuvens, e a respeito do qual cantamos em doxologia. É aquele que nos chama à obediência, para longe de todos os nossos compromissos com a morte. Podemos nos regozijar em nossa vocação, pois nós — a exemplo de Jesus — estamos em sincronia com a verdade do mundo. Imagine verdade santa, alinhada com viúvas, órfãos, prisioneiros e sem-teto. Não é de admirar que seja boa-nova. A boa-nova é que a ligação entre o céu e a terra não foi rompida. Ainda é relevante. É isso que dizemos quando confessamos que ele subiu ao céu e se assentou à direita de Deus, o Pai. Verdadeiramente é boa-nova!

✛ ✛ ✛

Vir à igreja é algo tão rotineiro, tão previsível e, com frequência, tão maçante e vazio, algo tão gasto, em contraste com a proposição singular de que, em Jesus de Nazaré, veio o Deus singular do Sinai com um novo mandamento. Não estávamos lá, mas o propósito da história em sua leitura é nos permitir ouvir a narrativa e reingressar nela, experimentar o mesmo temor de santa intrusão, ouvir as mesmas palavras: "Não temam", que nos dão acesso a Jesus. E, então, olhar outra vez e ver apenas Jesus. Isso foi tudo. Isso é tudo. Nisso consiste nossa fé.

6
Justiça

O cântico de Israel nos revela outro lado do Deus que reina em poder. Descobrimos que o reino de Deus não diz respeito apenas a poder. Também diz respeito a um relacionamento de afetuosa fidelidade, em que Deus é solidário com os mais vulneráveis e os mais necessitados da sociedade, o que, no antigo Israel, abrange:

- órfãos desprovidos de um protetor em uma sociedade patriarcal; esse Deus é Pai para aqueles que não têm pai;
- viúvas desprovidas de um protetor do sexo masculino em uma sociedade patriarcal; esse Deus é protetor para os desprotegidos;
- prisioneiros que, à época, como agora, eram caracteristicamente pobres desprovidos de recursos ou de um advogado astuto; Deus é um aliado daqueles que a sociedade deseja manter cativos.

Aquele que subiu ao poder não é transcendente de forma distante, não é esplêndido de modo indiferente, mas é profundamente envolvido com a realidade da terra em que dinheiro, poder, influência social e distinção de gênero, raça e classe deixam alguns perigosamente vulneráveis. Esse Deus paterno a quem oramos "Pai nosso" cavalga nas nuvens não por diversão, mas para poder ver, saber, cuidar, intervir, alimentar, curar, perdoar, reconciliar e libertar. A ascensão, na qual Deus é celebrado em poder, é uma declaração de que a terra é ordenada de modo diferente por causa daquele que a governa.

✢ ✢ ✢

Jesus insta seus discípulos a serem servos de Deus que causam interrupções, exigem direitos, buscam justiça, clamam dia e noite, de tal forma que o espaço no tribunal celeste seja ocupado e redefinido por apelos por justiça transformadora e restauradora.

✢ ✢ ✢

O perdão é, primeiramente, uma transação econômica, e o grande perdão diz respeito a dívidas. Vivemos agora em uma sociedade endividada. A classe dos proprietários mantém todos os outros endividados, e os pobres vivem em miséria desamparada, em condições de terceira classe, com escolas inadequadas e atendimento à saúde inadequado. As crianças são as que mais sofrem. E nós somos enviados por Jesus para quebrar os círculos viciosos de dívidas e restaurar as pessoas à plena participação social por meio de assistência, de cuidado atencioso pelo próximo e de programas de ação. Essa é a coisa mais radical que a igreja pode fazer, e foi a coisa mais radical que Jesus fez. A igreja pode, ativamente, romper os diversos círculos viciosos de dívida, de atitudes desesperadas de ressentimento para com os pobres e da pressuposição mortal de que, se você está no topo, é porque merece, e que outros se virem, pois, afinal, quem se importa? Perdoar é recalcular a sociedade para que haja participação de todos os seus membros.

✢ ✢ ✢

O Sábado é uma disciplina radical porque é um afastamento regular, disciplinado e extremamente visível da sociedade aquisitiva de produção e consumo moldada exclusivamente por bens. A suspensão do trabalho e o descanso são declarações públicas de que a existência de uma pessoa e a existência de uma sociedade não são definidas pela busca por bens, e que a felicidade humana não é produzida por bens, mas sim pela recusa intencional desses bens.

✢ ✢ ✢

Estamos agora em um país ansioso, em uma competição pela criação. Você pode chamar essa situação de crise ambiental. Pode chamar de crise econômica. Pode chamar de fome mundial ou vazamento de petróleo. Pode chamar de constitucionalismo em defesa da forma como as coisas costumavam ser. Não importa que nome você use, estamos em uma competição para ver se a criação — a terra cheia de maravilha — pode ser recebida como boa dádiva de Deus que inspira gratidão, e não avareza. O convite é para se opor ao trabalho divisor, à violência, à posse excessiva, à sedução, à amnésia, para ver o encanto da criação que transcende nossa ansiedade consumista. O Deus criador sabe do que precisamos, e dá pão aos que se alimentam e sementes aos que plantam. Diz, porém, que eles buscam justiça de Deus no mundo. A força da aliança em um mundo de caráter possessivo é uma tarefa difícil. É nossa vocação. Estamos continuamente decidindo como é a criação, e como seremos criaturas que exercem liderança para Deus em meio a todas as outras criaturas. O trabalho árduo dessa vocação não permite romantismo a respeito da criação.

✢ ✢ ✢

O Deus da Bíblia não é um guardião passivo da ordem. O Deus da Bíblia não é um árbitro neutro nos conflitos da vida. O Deus da Bíblia é ativo, interventor, e tomou partido dos pobres e dos necessitados que se imaginavam desprovidos de um defensor.

✢ ✢ ✢

A relação interligada entre os grandes produtores fascinados por produção e os humildes trabalhadores que produzem de modo invisível cria uma situação social em que ninguém tem permissão de vivenciar o Sábado. Nesse ambiente definido pela prática da aquisição desenfreada, todas as partes da rede social são prisioneiras de um contexto de coerção que exige cotas de produção cada vez maiores. Tudo isso ecoa a antiga exigência imperial: "Façam mais tijolos".

✢ ✢ ✢

O ato exigente do amor é a justiça, a garantia de uma vida viável para todos os membros da nova humanidade. Entendo que as grandes questões de justiça são difíceis e distantes de nossa vida diária. Fica evidente, porém, que o salmista pensava de modo amplo a respeito do domínio humano, a fim de abranger todo o escopo do processo humano. A meu ver, a igreja precisa tratar de questões como saúde e proteção de trabalhadores e presidiários, pois não há ninguém mais para insistir nesses assuntos urgentes. A igreja local, portanto, é o âmbito em que as grandes questões da humanidade são tema de nosso estudo, de nossas orações e de nosso envolvimento.

✜ ✜ ✜

Há bondade, mas também há justiça e retidão, e precisamos cuidar para não separá-las; para não imaginar que podemos ter uma sem a outra; para não escolhermos pessoas ou instituições, bondade ou justiça, pois aquele que liberta também se importa com o outro, o Cristo que alimentou os famintos e cuidou dos enfermos também é o Cristo que se opôs aos fariseus e ao governo e teve de ser executado porque levou um número grande demais de pessoas importantes a se sentirem ameaçadas.

A criação de Deus é extremamente frágil, tênue e precária. Depende da fidelidade de Deus, que por sua vez requer fidelidade humana para cuidar da terra. E, quando esse cuidado da terra falha, a infraestrutura do todo falha. Isso porque o mundo não é um sistema fechado, não é uma estrutura fixa, não é "natureza". É criação de Deus, ordenada e amada por Deus. E é colocada em risco por descuido e arrogância humanos.

Jesus faz um contraste entre a riqueza presente que você não pode guardar, pois um dia a perderá, e o lar futuro que constitui um reino eterno na presença de Deus. Note que Jesus está falando de dinheiro, por meio do dinheiro, e além do dinheiro, a fim de levar seus discípulos a pensar de forma diferente a respeito do futuro. Quando você é enredado pela economia, só consegue pensar em impostos, lucro, previdência privada, elevação no valor das ações, hipotecas, acúmulo e crédito. Esse é o horizonte de nossa economia global, e somos levados por ele, enquanto todo o dinheiro remoinha ao nosso redor.

Jesus, porém, diz que esse não é o horizonte real para nada. É apenas o curto prazo, o tempo presente. Há mais coisas além desse curto prazo e tempo presente. Há o envelhecer, envelhecer ainda mais, morrer, ser lembrado, ser valorizado, amado, cuidado, e ser recebido de braços abertos na verdade da vida de Deus.

Proponho que a experiência de exílio-deslocamento-deportação, e a ação oposta de reunir, oferecem uma caracterização adequada do processo de ministério em nosso meio. Esse tema duplo se refere, em nosso contexto, ao fato de que todas as escoras convencionais que a sociedade estabelecida criou para si não existem mais. Antigas instituições mal realizam suas funções, e essa realidade de perda gera enorme e amorfa ansiedade entre nós. Diante disso, proponho que a igreja é, agora, agente de Deus para reunir exilados, dos quais me vêm à mente de imediato dois grupos. Primeiro, há os exilados que foram colocados nessa condição pela força de nossa sociedade, os rejeitados, banidos, rotulados e excluídos. Esse grupo abrange, é claro, os pobres, e é inevitável pensarmos também em *gays* e lésbicas. Temos uma cultura que produz exilados e que desloca pessoas que têm graus variáveis de visibilidade e expressão em nosso meio. Segundo, porém, depois dos obviamente excluídos, proponho que a categoria de "exilado" também abrange aqueles que o mundo talvez considere normais, convencionais, tipos que se adequam ao sistema atual. Pois a verdade é que o grande fracasso de antigos valores e antigas instituições leva muitas pessoas a se sentirem deslocadas, ansiosas, sob ameaça, vigilantes, inquietas, e portanto as leva a buscar segurança, estabilidade e felicidade que não se encontram no horizonte da sociedade contemporânea. Não é evidente em nosso meio de que modo o sonho de felicidade pode se concretizar entre nós.

✤ ✤ ✤

O que está em perigo entre nós é a própria verdade, a verdade de que é intenção de Deus transformar o mundo em uma comunidade, a verdade de que é intenção de Deus que os providos e os desprovidos trabalhem juntos, a verdade de que os excluídos do mundo são participantes do regime de Deus, a verdade de que a hospitalidade como estratégia social é mais adequada que a vingança: tudo isso está em perigo em uma sociedade que não observa e não presta atenção.

✤ ✤ ✤

A igreja é profundamente comprometida com a prática da justiça para com o próximo, que sabe que Deus tem amor especial pelo desvalorizado, pelo marginal, pelo improdutivo. Trato desse assunto porque a igreja tem em seu meio desavenças a respeito dessa questão, mas não chega a entender claramente que Deus se importa com a restauração do mundo em suas dimensões políticas, econômicas e sociais.

✤ ✤ ✤

Esse talvez seja o ensinamento mais radical na Bíblia, o de que os providos têm uma responsabilidade social para com os desprovidos. Claro que isso é caridade, e todos nós cremos em caridade. No entanto, Deuteronômio é lei, e isso é política social. É o programa assistencial que redistribui recursos com parcimônia para que todos possam viver. Claro que o mundo não tem a mínima preocupação com estrangeiros, viúvas e órfãos que constituem um risco social e uma inconveniência pública, ou com os refugiados, as mães que dependem de assistência do governo, os sem-terra e os vulneráveis. No entanto, a história da Bíblia foi escrita para que o cuidado de Deus por aqueles que não têm voz nem vez constitua o tema principal, tema que geralmente costuma ser deixado de fora por aqueles que falam um bocado sobre autoridade bíblica. É como se Jesus começasse cada reunião com a pergunta: "Há alguém aqui com mãos deformadas, alguma viúva, algum órfão, estrangeiro, leproso, cego, pobre, sem-teto? Venham à frente e receberão atenção restauradora".

A realidade dos pobres não precisa de verificação. Estão em nosso meio, e seu número cresce. E a realidade dos pobres não precisa ser defendida em nosso meio. Não apenas reconhecemos a realidade em que estamos envolvidos, mas também declaramos juntos que a realidade dos pobres, por mais real que seja, não é um destino imutável. As coisas podem e vão mudar. Estamos aqui, portanto, como um ato de esperança. Logo, não lhe falo da realidade que é nossa premissa, mas da firme esperança de que não precisa ser desse modo, e da firme decisão de Deus de que não seja desse modo. A realidade dos pobres não é um fato inalterável da história humana. É um expediente momentâneo. É um expediente criado com tamanho cuidado, poder e resiliência que é formidável. Não obstante, é momentâneo.

A grande proposição da fé bíblica é de que esse expediente não pode resistir à decisão de Deus e não pode resistir ao cuidado obediente e imaginativo do povo de Deus. Não é preciso ser cínico para dizer que a decisão de Deus é uma base muito mais confiável que o cuidado do povo de Deus, mas as duas coisas são relevantes. Não estamos aqui por cansaço, embora alguns estejam exaustos, nem por desespero, embora alguns estejam à beira dele, mas porque esperamos, confiamos e cremos em uma novidade que certamente virá, uma novidade que aguardamos. É um ganho teológico e intelectual importante para nós se ao menos concordarmos, em oposição a interesses próprios, que os pobres são um expediente no mundo, e não um fato inalterável, por mais habitual que tudo pareça.

❖ ❖ ❖

O Deus que governa os deuses não é um governante vazio e genérico. Antes, esse Deus é fiel a códigos de cuidado pelo próximo dos quais o mundo depende. Esse Deus não aceita suborno, o que significa que ele não é aliado dos ricos e poderosos. Esse Deus conhece a tríade judaica que é quase um mantra: "viúva, órfão, estrangeiro". Esse Deus, diretamente da visão de um trono celestial, é aquele que recolhe alimentos, arrecada roupas e se importa com a justiça econômica.

Diz respeito ao compromisso intenso e inegociável que esse Deus assume sem levar em conta nacionalidade, credo, raça ou preferência sexual; diz respeito a alimento, vestimenta, saúde, educação e todas as dimensões da comunidade humana fundamentadas no Deus de todo próximo.

✢ ✢ ✢

Sempre resta mais uma ocasião para a igreja decidir o quanto se aprofundará na dedicação ao serviço. Ingressamos no serviço em muitos níveis distintos. O que fica claro, porém, é que não existe aliança sem custo. Não há como regressar ao lar sem que alguém se machuque ao longo do caminho. Os prisioneiros não são libertos e o mundo não é redefinido sem intervenção arriscada.

O ministério não pode ser uma questão de manutenção; diz respeito a reunir, acolher, receber de volta ao lar pessoas "de todo tipo e condição". O lar é o lugar da língua materna, do alimento básico para a alma, das velhas histórias contadas e entesouradas, de ficar tranquilo, de ser conhecido por nome, de pertencer mesmo sem ter as qualificações para ser membro. O ministério de reunião é o ministério com o qual Deus está comprometido para sempre. Ademais, não tenho dúvidas de que a reunião é, no presente, um ministério essencial não apenas entre os visivelmente excluídos, mas também entre os visivelmente incluídos que, não obstante, sabem que são marginalizados e cada vez mais impotentes e ameaçados.

Imagine uma igreja de Palavra e sacramento que declare:

- o exílio é um lugar que podemos escolher para a vida como alternativa para a coerência segura e ordenada que, na melhor das hipóteses, é um constructo ideológico;

- os outros pertencem ao grupo conosco, e a favor de nós, e são acolhidos como nós somos, uma alternativa muito mais salutar que insistir no exclusivismo ou fingir que os outros não existem;
- a generosidade ao próximo cria futuros que o desejo compulsivo de adquirir coisas para autogratificação jamais poderá oferecer;
- o desvencilhar-se da produção no Sábado nos leva a ficar para trás, mas também nos leva a redimir nossa vida da competição frenética; e
- render-se e entregar-se em oração é o modo apropriado de agir para o ser humano, tendo em conta o Santo que nos ama.

✣ ✣ ✣

A verdade a nosso respeito, representada em Jesus, é que a hostilidade, o medo e a competição cessaram. Os peregrinos são recebidos no lar, os estrangeiros são declarados cidadãos, os forasteiros agora fazem parte do grupo. A realidade de paz é asseverada diante de nossas ilusões intermináveis a respeito do não pertencimento. Pense nisso hoje, em sua arrogância ou em sua derrota. Pertencer é importante, e é preciso decidir como você lidará com sua membresia nessa comunidade em que Deus governa.

✣ ✣ ✣

A declaração de sucesso e segurança, tão poderosa em nosso meio, nos leva a não notar os excluídos e, com frequência, a não reconhecer nosso próprio exílio, ou a ansiedade a respeito de um exílio futuro. A abertura para estrangeiros e eunucos, isto é, o acolhimento de outros que não são como nós, é uma alternativa radical para a ideologia de conformidade que considera perigosos e fora dos padrões todos que são diferentes de nós. A questão, evidentemente, toca a diferença da sexualidade, mas também toca a diferença dos imigrantes e daqueles que adotam práticas sociais alternativas. E temos aqui um poeta que diz que não deixemos o estrangeiro ou o eunuco imaginar que foi excluído ou esquecido.

A memória do êxodo que leva à amável generosidade ao próximo é a marca fundamental de uma sociedade da aliança. Na prática, essa memória gera subordinação da economia à estrutura social, com atenção concentrada nos marginalizados desprovidos de acesso social, poder social ou defesa social. A aliança é uma declaração de interdependência e uma instituição de mutualidade contrária a toda a obsessão por adquirir mais coisas, que olha para os outros como se fossem concorrentes pelo mesmo bem ou uma ameaça para a garantia de minha segurança. O poema é um ato de imaginação que reconhece que relacionamentos sociais não são modelados necessariamente com referência a competição agressiva por bens, pois há um pertencimento mais elementar com outros e a favor de outros que refreia essa agressividade.

✢ ✢ ✢

Não se trata de capitalismo ou socialismo; trata-se de ser humano de outra forma, a forma do evangelho.

✢ ✢ ✢

Jesus não é economista. Eu não sou economista. No entanto, ele tem em seu horizonte a economia em longo prazo, o cuidado pelo próximo em longo prazo, o perdão em longo prazo, a amizade em longo prazo, o acolhimento em longo prazo, e a proximidade de Deus por toda a eternidade. Esse não é um conceito liberal ou conservador, democrata ou republicano. É a verdade do evangelho.

7
Identidade evangélica

A característica distintiva da igreja não é convicção; é sua abertura para o Espírito.

Uma das tarefas da igreja é, evidentemente, a defesa desse testemunho alternativo do governo vindouro de Deus e da mudança profunda de regime contemplada nesse novo governo. No entanto, a defesa, de per si, é inadequada. Logo, proponho que a igreja seja um lugar seguro para receber a ambiguidade a respeito dessas opções a serem denominadas e identificadas. A maioria de nós é extremamente complexa e ambivalente quanto às questões mais fundamentais. A sociedade dominante não deseja honrar essa complexidade e, portanto, estamos habituados a inúmeras camadas de negação. Em nossas diversas áreas de negação, o Espírito de Deus não tem grande possibilidade de novidade. A primeira brecha em nossa negação comum consiste em dar voz à ambiguidade e, desse modo, ter consciência de que alternativas estão verdadeiramente disponíveis e podem ser escolhidas.

✢ ✢ ✢

O povo de sofrimento da Sexta-Feira nunca cedeu à ansiedade paralisante, mas anunciou a verdade que liberta. O povo de esperança do Domingo nunca cedeu à desesperança, mas sempre soube que a novidade irrompe da Palavra que se fez carne e, então, das palavras em nossos lábios.

✣ ✣ ✣

Podemos contar as histórias de Eliseu, Jesus, Pedro e João, as histórias do menino e da menininha e do mendigo cego. Há mais histórias; estas que consideramos não são as histórias finais. Há uma quarta história, e devemos representá-la. Devemos atuar nela, pois estamos na correnteza dessa verdade narrativa. Recebemos poder em favor dos inválidos. Recebemos recursos para possibilidades de ressurreição. Descobrimos em nossos próprios ossos cansados a capacidade de curar e conferir poder a outros. E, juntamente com eles, somos convidados a dançar, pular, saltar, cantar e louvar a Deus. Pois Jesus é o Senhor da dança; Jesus é o líder do salto; Jesus é a voz de nosso cântico. A quarta história, nossa história de fé, anda junto com as outras três, representada hoje, em breve, com frequência e, mais adiante, narrada para nossos filhos.

✣ ✣ ✣

Reflita, portanto, a este respeito. Você é enviado para perdoar. Você é enviado para ser uma fábrica doméstica de perdão. A tarefa principal da igreja, recebida do Cristo pascal, é perdoar.

✣ ✣ ✣

É evidente que a igreja não precisa de mais zeladores para mantê-la em funcionamento como sempre. Não precisa de mais pastores e líderes que farão as coisas do modo habitual.

Isso porque estamos em uma situação de emergência em nossa sociedade, em que o evangelho é de importância decisiva. Proponho que, no momento, é disto que a igreja precisa "pela fé":

- arriscar-se pela justiça em uma sociedade brutalizadora;
- arriscar-se pelo perdão em uma sociedade vingativa;
- arriscar-se pela hospitalidade em uma sociedade exclusivista;
- arriscar-se pelo generosidade em uma sociedade avarenta;
- arriscar-se pelo escândalo da ressurreição pascal em uma sociedade que reduz tudo a nossas possibilidades arrazoadas;
- arriscar-se pela imaginação poética em uma sociedade de ansiedade prosaica.

A intenção de Deus é criar uma comunidade de pessoas santas; não de pessoas boazinhas, mas de pessoas que se pareçam com o Deus que viemos a conhecer em Jesus.

A realidade central da vida da igreja atual não é a ecumenicidade, nem a renovação, nem pequenos grupos, nem cafeterias, nem qualquer uma das coisas que talvez desejemos imaginar. A realidade central da vida da igreja atual é conflito, falta de comunicação e a postura de desconfiança que permeia a vida da igreja em todas as dimensões. Se não fosse tão triste, seria quase engraçado, que esse povo encarregado da reconciliação, ao qual foi confiada a mensagem da boa-nova, esteja tão fragmentado. E não seria algo indesejável, se não tivéssemos de acrescentar outra observação: é um conflito com o qual não parecemos ser capazes de lidar de maneiras criativas ou construtivas. Podemos lhe dar vários nomes: clero *versus* leigos, conservadores *versus* liberais, população local *versus* burocratas. A meu ver, todos esses conflitos apontam para uma questão especialmente em voga em nosso tempo: se a igreja se dedica à sua missão. Ao que parece, nós nos dividimos mais a respeito do que a igreja deve fazer e ser. Para alguns, a tarefa da igreja consiste em manter um oásis espiritual em que seja possível, de tempos em tempos, experimentar refrigério e renovação, longe do peso e do cansaço do mundo. Para outros, a igreja deve ser agente de mudança social e cultural; não um lugar de retiro revigorante, mas uma presença atuante no meio da luta. E cada um de nós tem fortes opiniões a esse respeito; opiniões tão fortes que a vida e o ministério da igreja são menos eficazes.

✣ ✣ ✣

O presente momento de crise na igreja é um momento para considerar em nosso meio a riqueza do tesouro e a fragilidade do vaso na presença do tesouro. Talvez seja um momento para decidir, mais uma vez, nos entregar à verdade do tesouro e deixar que Deus cuide da maior parte do restante para o bem do vaso.

Observamos enquanto vasos de barro são despedaçados como Jeremias imaginou que a Jerusalém da antiguidade seria despedaçada, talvez por serem desobedientes, irrelevantes, preocupados demais consigo mesmos, confortáveis demais com privilégios, ideologia nacional e moralidade de classe média. Ocorreu-me, portanto, que os vasos de barro estão sendo despedaçados por causa de Jesus, para que o poder de Jesus em sua generosidade, em seu perdão, em sua hospitalidade e justiça possa irromper no mundo para trazer cura e novidade.

✠ ✠ ✠

Temos esse ministério não porque Deus é severo, autoritário ou interesseiro, mas pela misericórdia de Deus. É uma dádiva concedida por ele. Graças ao propósito terno, atencioso, envolvido e compassivo de Deus para conosco, esse ministério se torna uma forma de ser singularmente humano no mundo. O ministério nunca é fácil, pois o mundo mostra resistência e rejeição. Não é fácil em um mundo de brutalidade, ganância e ambição. Mas Paulo diz: "Não desanimamos". Não seremos convencidos a abrir mão de nossa identidade e nosso propósito, nossa vocação e nossa visão. Não desanimamos, pois a obra é radicada na santidade de Deus e impelida pelo Espírito de Deus, e esse fato é suficiente para nos manter firmes nesse propósito singular.

✠ ✠ ✠

Somos batizados, recebemos um cálice diferente. Que imagem! Em cada comunidade em que vivemos há uma igreja plantada, um lugar ao qual as pessoas vêm regularmente para falar de modo diferente a respeito de cálices, batismos, serviço e formas de poder que o mundo não é capaz de compreender. É essa comunidade em todos os lugares que adere a uma conduta diferente no mundo, pois vislumbramos um cálice que transborda de alegria, paz, misericórdia e felicidade.

Claro que isso depende de aceitarmos que somos diferentes e que estamos no mundo para um propósito diferente.

✤ ✤ ✤

Em meu parecer, precisamos encarar agora decisões difíceis como não acontece há muito tempo. A verdade é que aderimos, como indivíduos e até como igreja, ao consumismo voltado para autogratificação, conforto, segurança e proteção. Vivemos em função de nossa afluência, e descobrimos que toda nossa autogratificação nos deixa saciados, mas não dá alegria nem segurança.

Essa propensão americana é apoiada, ainda, por militarismo, força, músculo e intimidação, fazendo com que nossa cultura, suas imagens e sua retórica sejam saturadas de retratos militares que anunciam violência e brutalidade, e nada disso nos protege. É como ser iludido pelos valores do império babilônico, com seus sonhos magníficos de guerra e suas promessas de prosperidade.

De acordo com o poeta, contudo, nada disso é para Israel. Nada disso é para a igreja. Nada disso é o caminho que devemos trilhar no mundo. Portanto, o poeta apresenta aos exilados (e a nós) um caminho alternativo, as águas do batismo, o pão da Eucaristia, o vinho da nova aliança, a capacidade de correr riscos, confiar e obedecer e, então, de nos descobrir protegidos e alegres, próximos de Deus, dedicados a uma vida bem diferente no mundo.

✤ ✤ ✤

A santidade irrompe e resplandece. A santidade transforma e nos renova. A santidade se torna misericórdia para o ministério.

✥ ✥ ✥

Há um só batismo. Todos nós cristãos adultos, e a maioria quando jovens, fomos batizados. Mas será que consideramos o que isso significa? Naquele momento dramático, recebemos um nome, uma identidade, um valor. Em minha tradição, praticamos o batismo de crianças, pois afirmamos que não escolhemos nosso nome, nem trabalhamos para obtê-lo, nem o merecemos. Ele nos é concedido em amor. Não escolhemos o nome, mas ele é garantia para nós. Essa é uma ideia magnífica em um mundo de computadores e impessoalidade. Ninguém pode tirar esse nome de nós. Ninguém pode tocar nossa identidade. Ninguém pode, em última análise, questionar nosso valor. Sabemos quem somos e, em comunhão, sabemos quem é nosso irmão. Boa parte da ameaça que as pessoas sentem hoje se encontra nessa perda de identidade e, portanto, de sua percepção de valor. Muitas vezes, pelo fato de não crermos em nosso nome, não conhecemos nossa identidade, duvidamos de nosso valor e, com frequência, escolhemos conflito e hostilidade. Muitas vezes, quando não temos certeza de quem somos, não conseguimos nos despojar da velha natureza, pois encontramos nela nossa segurança. Muitas vezes, não conseguimos nos revestir de nossa nova natureza, pois não suportamos a ameaça. O batismo é um símbolo dramático que garante nossa segurança a fim de que tenhamos liberdade para amadurecer.

Vivemos em uma era especialmente narcisista, em que nos preocupamos com nós mesmos, com aparência, estilo, segurança, ou como diz meu pastor: "Posso não ser lá essas coisas, mas sou o centro de tudo o que penso".

Não é assim que funciona! O catecismo diz que você não pertence a si mesmo. Não pertence à competição da economia de consumo. Não pertence ao estado de segurança nacional, com seu militarismo agressivo. Não pertence à cultura da ganância, do egoísmo, da violência e da indiferença. Essa não é sua identidade. Antes, você pertence a Jesus Cristo, depende dele e presta contas a ele. É para isso que seu batismo e sua profissão de fé apontam, e é por isso que nos reunimos regularmente, para que não sejamos convencidos a abandonar nossa identidade.

✛ ✛ ✛

A missão para a qual somos chamados consiste em reordenar toda a vida de acordo com categorias de vulnerabilidade, solidariedade e fidelidade. A questão, portanto, não é simplesmente praticar a aliança entre nós, mas ser o agente, o catalisador, a oferta de aliança com o mundo que espera boas notícias.

✛ ✛ ✛

Essa é, portanto, uma comunidade que tem como objetivo quebrar os padrões de falsidade e pretensão, tornar-se pessoas e comunidade que permanecem tranquilas diante do risco, que se alegram na generosidade, que estão em paz com o próximo diferente de nós e que tem dádivas a nos conceder. Lembre-se de que somos aqueles que confiam no pão partido e que não precisam ser donos da padaria. Somos aqueles que confiam no vinho derramado, mesmo que não monopolizemos os vinhedos.

✛ ✛ ✛

Se é verdade que vivemos em uma época em que somos tornados pequenos, insignificantes e impotentes, proponho que cabe ao pastor e à igreja fazer frente a essa minimização da humanidade por meio da celebração, valorização e afirmação da humanidade e das pessoas. A igreja é chamada a se posicionar contra a depreciação humana e a viver, agir e falar de maneiras que aprimorem as pessoas na comunidade humana. O salmo diz: "Que é o homem?". E a resposta é: as pessoas são as criaturas supremas de toda a criação. Portanto, que a igreja se posicione para a plena celebração da humanidade, para se opor às maneiras maldosas, enraivecidas e mesquinhas com que o mundo despreza as pessoas, considerando-as mão de obra barata, bucha de canhão e partes substituíveis, objetos irracionais de propaganda e publicidade. Que cada pessoa a ter contato com a igreja seja exaltada, celebrada e afirmada de acordo com a glória de Deus.

A fim de que a igreja em nosso país recupere a energia para sua missão, precisa ter clareza a respeito de quem Deus é, pois nosso entendimento de Deus se tornou maleável, indistinto, romântico e prejudicado.

O propósito da sentinela, isto é, de todo o povo, é continuar a lembrar Deus da obra que ele ainda precisa terminar. Essa é a vocação do povo de Deus como sentinela: correr atrás de Deus, incomodar Deus e cobrar de Deus suas promessas. Que vocação extraordinária para o povo de Deus: lembrar Deus dos compromissos que ele assumiu; insistir que a tarefa precisa ser concluída por ele; apresentar-lhe incessantes petições, dar testemunho ao mundo. O povo de Deus deve esperar mais e insistir para ter mais e vigiar para que esse mais se concretize. Deus prometeu, mas a promessa depende, em parte, de súplicas persistentes e poderosas e da importunação audaciosa do povo de Deus.

✣ ✣ ✣

Bem-aventurada a igreja que não se conforma facilmente com o presente, que se mantém solta e aberta o suficiente, inquieta o suficiente, para saber que os arranjos atuais da realidade não são bons o suficiente e não estão em conformidade com o plano de Deus.

✣ ✣ ✣

Há, pairando no ar, uma ideia equivocada a respeito da igreja, uma ideia que não corresponde à aliança. E é como uma doença. De acordo com essa ideia, todos nós somos cristãos, ou todos nós somos crentes, ou no mínimo todos nós somos pessoas bem-intencionadas. E, portanto, todos nós nos reunimos para colaborar da melhor maneira possível. Isso se chama "associação voluntária" de pessoas que pensam de forma parecida; juntas, escolhem uma missão e se dedicam a ela pelo tempo que desejarem.

Deixemos claro, porém, que essa não é a igreja apresentada na Bíblia. Falar de "associação voluntária" pode ser uma declaração precisa de sociologia, mas a Bíblia tem outras bases para suas proposições. A igreja da Bíblia não é uma associação voluntária de indivíduos que permanecem unidos por uma questão de conveniência. Na Bíblia, a igreja não é ideia nossa nem invenção nossa. É ideia de Deus. Como dizemos em nossa Declaração de Fé, "Deus nos chama para a igreja", para realizar a missão. Somos unidos não porque concordamos uns com os outros, gostamos uns dos outros ou nos sentimos à vontade uns com os outros, mas porque há um chamado de Deus e uns para com os outros. E isso significa que temos o direito de esperar algo especial uns dos outros e de nós mesmos. Temos o direito de esperar que as pessoas atendam ao chamado de Deus mesmo quando não é conveniente. Muitas vezes, há tensão entre o chamado de Deus para a missão e nossas preferências, nossos interesses. Nossa tarefa consiste em chamar uns aos outros a agir contra nossas preferências e contra nossos interesses pessoais. E, portanto, de maneiras bastante concretas, em orçamentos e programas, temos de perguntar continuamente qual é o chamado de Deus que provavelmente não corresponde a nenhum de nossos interesses pessoais.

✛ ✛ ✛

Jesus é cheio de poder curativo. Ele realiza, repetidamente, esses estranhos milagres de restauração. Jesus tem por objetivo restaurar pessoas à plena participação social e asseverar que a tarefa principal da igreja é fazer o mesmo que Jesus faz, restaurar os incapacitados à plena existência social. Esses somos nós! É isso que fazemos!

✛ ✛ ✛

A igreja deve ser singular no mundo, deve chamar a atenção da comunidade porque anda de acordo com uma cadência diferente. A intenção de Jesus para a igreja é que ela participe do sofrimento de Jesus, pois o modo de Jesus agir no mundo não é bem aceito nem seguro.

✢ ✢ ✢

A igreja não é chamada a adotar uma religião piedosa, romântica e tola, mas a praticar a memória de Jesus, a deixar que essa memória esteja plenamente presente. Quando essa história de Jesus está presente, conseguimos distinguir e identificar todas as proposições vazias nas quais a santidade de Deus e o poder vivificador de Deus não residem, nas quais o poder vivificador de Deus não é corporificado nem representado. Nós cristãos buscamos em Jesus o referencial para tratar de todas essas questões, pois somos interminavelmente seduzidos pela ideia de que podemos encontrar glória em nossa tecnologia, em nosso brilhantismo, em realizações, poder, riqueza, beleza ou boa forma física. Não, não, não! A glória está na face, no corpo, na vida e na história daquele que sofre neste mundo, com ele e para ele. A santidade em sua forma absoluta é sofrimento que cura.

De acordo com a Bíblia, essa vinda da santidade de Deus é o que ele escolhe fazer e como escolhe agir. A Bíblia, contudo, também afirma que essa vinda da santidade de Deus é o anseio mais profundo e o desejo mais intenso que temos. Nascemos, somos criados e formados por Deus para desejar estar com ele e em sua presença. Somos feitos para a santidade de Deus, e é exatamente a santidade de Deus que nos torna humanos. É a glória de Deus e a maravilha de Deus que torna nossa vida jubilosamente plena. Essa é a verdade a nosso respeito.

✢ ✢ ✢

A igreja consiste naqueles que resolveram se dedicar inteiramente à possibilidade surpreendente de se tornar compatíveis com a vida de Deus e de refletir essa vida. A notícia importantíssima sobre essa possibilidade surpreendente, porém, não é que essa tarefa árdua cabe a nós. A notícia é que Deus está operando e que estamos sendo transformados, influenciados, tratados, cuidados, sustentados e incomodados pelo poder e pelo propósito de Deus.

O ministério parece tão estranho, periférico à nossa vida, institucional, reservado para outros. Não é nada disso. O ministério é o trabalho humano diário de colocar nossa vida cada vez mais debaixo da alegria, do propósito e do poder de Deus. Não é um acréscimo ou um apêndice. Não é um curso adicional para o segundo sábado de cada mês no primeiro semestre; antes, é uma forma de viver que permite que o poder transformador de Deus opere para produzir dignidade humana, justiça social, criação restaurada para o mundo amado por Deus. E é nossa: sua e minha!

Creio que estamos muito próximos de uma época em nossa sociedade em que o cristianismo autêntico será penoso, e talvez tenha um preço. E a igreja precisará decidir se será apenas o eco das fortes vozes de medo e repressão ou se está preparada para assumir um posicionamento bem diferente em virtude de sua fé e do chamado de seu Senhor.

✣ ✣ ✣

Cabe à igreja toda, e não apenas aos doze apóstolos, a tarefa de dar testemunho da verdade da Páscoa. Essa é a razão de a igreja existir, dar testemunho por atos, palavras, programas e orações, de que o futuro está aberto para a vida, pois a morte não pode vencer.

✢ ✢ ✢

Está chegando para a igreja o momento em que teremos de decidir se cremos verdadeiramente que Deus é Deus, se apostaremos a vida naquilo que dizemos. A questão é simples. Ou Deus é Senhor e estamos seguros e livres para servi-lo, ou ele não é Senhor e temos de viver com uma atitude temerosa e defensiva. E, quando depararmos com essa questão, não poderemos nos esquivar dela.

✢ ✢ ✢

A igreja não é um grupo de pessoas dedicadas à autoajuda, à felicidade, ou mesmo à transformação ou metamorfose. É, isto sim, uma comunidade cuja vida consiste em ministério. A santidade de Deus não vem a nosso meio para fins de prazer próprio disfarçado de piedade. A santidade de Deus é concedida a Moisés, a Jesus, até mesmo a nós, para que nos dediquemos à obra extremamente ampla que pertence à nossa verdadeira identidade.

✢ ✢ ✢

A história da Bíblia é o trabalho de Deus de encontrar, designar, pronunciar e enviar uma pequena comunidade como antídoto para a disfunção do mundo.

✢ ✢ ✢

A Bíblia é a longa história daqueles que sofrem as dificuldades do ministério: Moisés, Jeremias, Esdras, Pedro, Paulo, Estêvão. Não é diferente no caso de Lutero, Calvino, Barth, Nouwen, Solle, Sider e Wallis. Todos eles são modelos para nós, e observamos que, para eles, o ministério não é cômodo. Ou, de modo inverso, será difícil encontrar na Bíblia alguém chamado por Deus que experimente comodidade. Aliás, um ministério cômodo é, de certo modo, um oxímoro.

✤ ✤ ✤

No judaísmo, o décimo primeiro mandamento é: "Não esquecerás". E nós, cristãos, dizemos com frequência em nosso ato mais precioso: "Toda vez que o fizerem, que seja em memória de mim". Nós cristãos, como os judeus, damos grande valor à recordação. Estamos profundamente inseridos em uma memória específica que nos diz quem somos e o que precisamos fazer. E, no entanto, vivemos em grande medida em uma cultura que esquece, e até mesmo a igreja sofre considerável amnésia. Em meu parecer, a recuperação de nossa memória bastante peculiar é um projeto urgente para a igreja, necessário para a fidelidade e a vitalidade da igreja.

✤ ✤ ✤

O que leva uma comunidade a esquecer seu passado valiosíssimo? Por que uma comunidade permite que as crianças esqueçam o relato mais precioso de sua vida? As respostas são fáceis de identificar:

- estar protegidos e ter afluência, levando as memórias de dependência e necessidade, resgate e transformação a perderam a relevância e parecerem distantes;

- impressionar-se de tal modo com o presente que o passado parece esfarrapado, senão embaraçoso. Estudiosos dizem que estamos vendo um "rareamento" de nosso passado em razão de coisas materiais, consumismo, rápida comunicação, qualquer compromisso em longo prazo que não esteja plenamente no *agora*;
- ser em medida tão grande o centro da realidade, tão cheios de nós mesmos, tão deslumbrados com riqueza e poder, a ponto de a narrativa de histórias sobre outra época, outro lugar, outro Agente constituir algo antiquado, lento e maçante.

✣ ✣ ✣

As crianças só desvalorizam recordações porque os pais as desvalorizam. As crianças não são indiferentes; no entanto, captam dos pais a mensagem clara e inconfundível de que nada disso importa. Para os pais, tudo é agitado e veloz, instantâneo, apressado e descartável. E logo não existe mais *habitat* moral, ambiente imaginativo, conjunto de símbolos e expressões usados como códigos que nos proporcionem raízes e pertencimento; estamos sozinhos, talvez satisfeitos com isso, talvez assustados com isso, mas, de qualquer modo, isolados.

8
Amor ao próximo

Este é um tempo urgente de cuidado pelo próximo que contestará nosso consumismo, subverterá nosso militarismo desmedido e rejeitará a cultura de aparências. Temos outras coisas para fazer com nossa vida na liberdade que recebemos de Deus.

✢ ✢ ✢

O ato fundamental de amor é o perdão. Sabemos como são as coisas em igrejas, especialmente igrejas rurais, e em famílias de todos os tipos. Desentendemo-nos com alguém e não conseguimos deixar o conflito de lado. Guardamos rancor para sempre, recrutamos nossos filhos para dar continuidade à amargura, e jamais nos esquecemos do dia em que fomos magoados ou ofendidos. Mas seres humanos, com toda a majestade que Deus lhes concede, podem romper o círculo vicioso de rancor e podem perdoar e recomeçar. É isso que o novo mandamento torna possível.

✢ ✢ ✢

A justaposição de "hospitalidade" e "vingança" é significativa. Vingança é a prática que percebe outros como ameaças, concorrentes ou rivais; o oposto é a hospitalidade que vê outros como convidados. Por um lado, não há dúvida de que vivemos em uma sociedade desmedidamente vingativa, e a comunidade cristã é chamada a combater essa propensão com hospitalidade. Por outro lado, se perguntarmos o que torna a hospitalidade uma prática possível, proponho que ela é possível para aqueles que confiam em sua condição de criaturas e que não estão debaixo de compulsão, ou seja, aqueles que praticam o Sábado. Não tenho dúvidas de que o descanso do Sábado pode, verdadeiramente, romper o ciclo de vingança, pois quebra o padrão recorrente de compulsão que resulta em violência contra o próximo.

✣ ✣ ✣

Jesus deu um novo mandamento, para que amemos uns aos outros. Mais adiante, é acrescentado:

> Nós amamos porque ele nos amou primeiro. Se alguém afirma: "Amo a Deus", mas odeia seu irmão, é mentiroso, pois se não amamos nosso irmão, a quem vemos, como amaremos a Deus, a quem não vemos? Ele nos deu este mandamento: quem ama a Deus, ame também seus irmãos.
>
> 1João 4.19-21

E Jesus explicou em detalhes que devemos identificar "irmão" como todos, o que abrange quem é mais diferente de nós, quem não se encaixa, quem nos irrita e incomoda.

✣ ✣ ✣

Amor. Que palavra típica do evangelho em uma sociedade cada vez mais propensa a exclusão, ódio e vingança! Opera em nosso meio uma ideologia que deseja tornar o mundo extremamente pequeno para que seja mais seguro para nós, e deseja excluir e eliminar todos que não são como nós. A atração pelo ódio e pelo ressentimento gera programas referentes a imigrantes e à pena capital, transformando nosso ódio de outros em vingança brutal, e tudo isso em nome da piedade religiosa. Essa prática de ferir outros, presente em nosso meio, contradiz o Pai de misericórdia que ama todos os filhos e protege todos os fracos.

✣ ✣ ✣

Há uma ideia equivocada de que somos repletos de iniciativa própria, "donos" de capacidade e valor. Podemos nos virar e fazer o que desejarmos, se nos esforçarmos o suficiente. Essa ideia faz parte dos conceitos americanos de sucesso e progresso. Na verdade, contudo, não funciona. Não podemos ser bem-sucedidos sozinhos. Dependemos de outrem. Não conseguimos nem precisamos viver em nossos termos. Afinal, nos níveis mais profundos de nossa vida, não temos essas competências. Somos, na maior parte, um enigma de medos e de esperanças não realizadas.

Não somos pessoas que se inventaram. Somos sempre criaturas de Outro que se dirige a nós, nos chama pelo nome e nos faz existir. Em um sentido elementar, somos indivíduos porque Deus conhece nosso nome e, como é o caso de toda criação, Deus nos faz existir. Vivemos graças ao chamado fiel de Deus para nós. E, em um sentido derivado, vivemos graças ao chamado diário do próximo. Esperamos, a cada dia, ser chamados por nome, ser cuidados, ter alguém que espere algo de nós e nos dê algo. E, ao longo do caminho, aprendemos de diversas maneiras que nossa vida não é propriedade nossa, mas sim uma dádiva concedida diariamente, e sempre ficamos admirados e gratos por sermos chamados, mais uma vez, à pessoalidade.

✣ ✣ ✣

O imenso ato de amor elogiado na igreja é a hospitalidade, a disposição de acolher na igreja e em nossa vida aqueles que estão sozinhos, abandonados e necessitados. Hospitalidade significa criar um lar para os que foram transformados em sem-teto em nossa sociedade, e perguntar não se são qualificados, mas se fazem parte do âmbito do amor de Deus. Tendo em conta o novo mandamento, a verdade do evangelho é que não podemos amar o Deus que não vemos se não amamos os irmãos e as irmãs que estão bem diante de nós.

Por vezes, os conflitos nos quais nos envolvemos não são apenas maldosos; também são convenientes, pois nos distraem das proposições centrais do texto e, com isso, o fazem perder força. Claro que é importante o que a igreja decide a respeito de sexualidade, mas, em longo prazo, essa briga ou uma dúzia de outras semelhantes não é nada diante do fato de que o consumismo terapêutico tecnológico militar não é capaz de cumprir suas promessas. Todos nós — conservadores atentos para o que a Bíblia diz sobre sexualidade e indiferentes para o que a Bíblia diz sobre economia, e liberais que sussurram algo indistinto a respeito daquilo que a Bíblia diz sobre sexo, mas são especialistas em economia — todos nós temos consciência de que os principais compromissos de nossa sociedade correspondem à escolha de um caminho que conduz à morte. Os conflitos nos quais nos envolvemos não podem perder a objetividade, pois nenhum deles ocupa indevidamente esse Ser Santo. O que conta é o fato de que não estávamos presentes no início da criação, e não estaremos presentes no toque de recolher; nossa vida entre o início e o toque de recolher é dádiva do Deus que nos chama não a atacar nosso próximo, mas a seguir caminho com encantamento, amor e louvor.

✣ ✣ ✣

Todos nós, em certa medida, nos apegamos a nossas convicções frente ao "outro". Todos nós, em certa medida, sabemos que nossa fé nos chama para ir além desse ponto. Alguns de nós nos mostramos mais dispostos e capazes de correr o risco da inclusão, de acolher outros que nos ameaçam. É evidente que a boa-nova do amor divino, da cura divina e da justiça divina não pode ser reservada apenas para nós e para pessoas semelhantes a nós. A atração exercida pela imensidão de Deus convoca todos nós, muitas vezes por meio das palavras e da presença do "outro". Os velhos ensinamentos da exclusão não são capazes de nos proteger inteiramente do ímpeto que Deus coloca em nós para cuidar de outros.

✣ ✣ ✣

Poucos de nós precisamos de conselhos sobre o que fazer com nossa vida. Poucos de nós queremos conselhos desse tipo. Talvez não concordemos a respeito do que fazer, mas a maioria de nós sabe o que faria se tivesse capacidade, ou liberdade, ou imaginação, ou coragem. A igreja dedica mais esforço a dar conselhos que a dar amparo. Talvez isso se deva ao fato de que é mais fácil dar conselho que dar liberdade ou coragem, e também é mais óbvio. Ou talvez se deva ao fato de que, como liberais ou como conservadores, somos tão apegados a nossas ideias que desejamos corrigir todos os outros. O problema é que os outros também não estão muito abertos a coerção, assim como nós não estamos.

Em meu parecer, nos dias de hoje a igreja pode baixar a voz no tocante a conselhos e falar de modo mais brando, saudável e honesto a respeito de nutrir imaginação, liberdade e coragem fiéis. Essas coisas estão em falta em nosso meio, e quando isso acontece nossa vida é depreciada. Essas coisas estão em falta porque nos impelem em direção a mistério que não podemos explicar, lealdade que não podemos controlar, e confiança que não podemos produzir por nossa vontade. Do mistério, da lealdade e da confiança que vêm a nós como dádiva, nasce uma vida obediente. Chegamos a ela, contudo, por uma via que não diz respeito a nosso zelo e nossa convicção, e isso nos deixa apreensivos.

Quando Paulo falou sobre viver em harmonia uns com os outros como uma dádiva do novo regime de Cristo, tinha consciência dos conflitos e das brigas em suas igrejas e em todo o império. Nós também temos. Imaginamos, agora, que liberais e conservadores devam estar em conflito, que cristãos e muçulmanos devam praticar violência uns contra os outros, que negros pobres e brancos ricos devam competir entre si com uma ponta de ódio. Pois bem, tenho uma notícia para dar. Há um mundo reconciliado entre judeus e gregos, homens e mulheres, livres e escravos, e todas as outras alienações que sejamos capazes de citar. Afinal, Cristo derrubou os muros de separação. Nele, pessoas de todos os tipos recobram a sanidade e a humanidade o suficiente para enxergar irmãos e irmãs.

✧ ✧ ✧

Há certa mesquinhez na igreja, divisões entre conservadores e liberais, engomados e desleixados, e o resultado é que a energia para a missão é desviada para a tarefa de garantir que as coisas aconteçam à nossa maneira. A Palavra da vida, contudo, não é liberal nem conservadora, não é branca nem negra. É a Palavra além de todas as palavras, a Palavra que se fez carne em Jesus.

✣ ✣ ✣

Em Isaías 56, o poeta insta a comunidade de fé a não agir por medo, mas com base em sua mais preciosa convicção da grande misericórdia e bondade do Deus do monte Sinai. O poeta pede um coração escancarado para incluir todos que compartilham das práticas de fé em aliança.

Essa questão de inclusão e exclusão é interminavelmente difícil. É difícil desde o tempo de Moisés, pois há condições rigorosas de fé a respeito das quais não se pode transigir. Nem todos podem participar. Essas condições, contudo, não são marcas externas, mas interesse, intenção, prática, cuidado pelo próximo, Sábado e aliança. As condições dizem respeito à firme decisão de viver no mundo de forma diferente.

✣ ✣ ✣

Eis, portanto, sua missão, caso você escolha aceitá-la:

Coloque-se ao lado dos judeus que também aguardam o Messias.

Coloque-se ao lado dos cristãos que veem o poder de Deus em Jesus.

Coloque-se ao lado dos gentios em misericórdia, ao lado de todos os outros que não são como nós.

Coloque-se ao lado dessa companhia e você se descobrirá repleto de esperança daquilo que Deus ainda há de fazer.

✤ ✤ ✤

Quando o menino Cristo chega, membros do novo mundo vislumbram que não precisamos dividir o mundo em ricos e pobres, negros e brancos, muçulmanos e cristãos e judeus, heterossexuais e homossexuais, privilegiados e desprivilegiados. Imaginem isso! Há alguns em nossa sociedade que são grandemente beneficiados pela perpetuação dos conflitos. Para os filhos da verdade e da esperança, porém, esses conflitos perdem seu poder sobre nós e seu interesse para nós, à medida que nosso medo uns dos outros é dissipado em uma vida conjunta de receptividade.

✤ ✤ ✤

Quando Paulo imaginou a receptividade mútua, tinha consciência de um mundo de exclusão fundamentado no medo e na ansiedade. Também temos. Ao nosso redor há barreiras, portões e cercas que demarcam linhas em torno de dádivas, possibilidades, recursos e acesso. As linhas são traçadas de modo cada vez mais fechado, até que excluam a todos, exceto os bem-aventurados e astutos, e até mesmo eles se preocupam, pois não sabem onde o próximo muro será construído e quem será excluído. Pois bem, tenho uma notícia. Lá fora, além do mundo de exclusão, rejeição e hostilidade, é oferecido um mundo de receptividade que vê o outro não como ameaça ou concorrência, mas como companheiro na peregrinação da humanidade. Esse mundo alternativo de receptividade é assinado por pão e vinho; no entanto, é revelado pelas vidas que tomam a iniciativa e tocam outros para curar e transformar.

✢ ✢ ✢

Dirijo a você uma palavra evangélica sobre pertencimento, sobre pertencimento maior do que você imagina, talvez maior do que deseja, pertencimento a respeito do qual você não pode votar, pertencimento talvez por batismo e, senão por batismo, então pela maravilha e surpresa de seu nascimento. Pelo fato de você ter nascido, você pertence. A certeza do pertencimento não se encontra em alguma teoria social, mas na estranha verdade a respeito do Jesus que derrubou os muros de divisão, muros que trazem medo, arrogância, fome e morte.

✢ ✢ ✢

Vivemos em uma sociedade que deseja categorizar, dividir e alienar. A fomentação de hostilidade é uma indústria importante em nosso meio. Sustentamo-nos com nosso individualismo feito de orgulho e desespero que não deseja que pertençamos. O fato é que pertencemos. Você pertence. Pertencemos uns aos outros, pois nos foi mostrada compaixão. Não somos mais livres em nosso orgulho para cometer abuso, como fez Davi. Não somos mais destinados em nossa desesperança, como a multidão, a permanecer perpetuamente em situação de risco. Pertencemos uns aos outros. Podemos ter certeza disso. Podemos nos importar com os outros por causa disso.

✢ ✢ ✢

Sempre que a compaixão exigente de Deus entra em cena, a vida recomeça. Há um pertencimento entre os poderosos e os impotentes, grandes nações e tribos desprotegidas, judeus e gentios, homens e mulheres, os que são brilhantes e os que têm dificuldades. Há uma membresia que não pode ser desconsiderada. Ela exige que acabemos com nossa indiferença, concorrência, arrogância ou desesperança. Agora, há uma esperança no mundo, uma insistência de que, juntos, nos tornaremos "lugar de habitação de Deus". A membresia baseada na compaixão poderosa de Deus é algo com que você pode contar. Consequentemente, todos os excluídos voltaram para casa e são participantes dessa nova humanidade que só agora está se tornando visível.

9
Novidade e esperança

A desesperança produz uma cultura de morte, violência e brutalidade que, em sua maior parte, passa despercebida de consumidores, observada apenas por um ocasional poeta mal-interpretado ou rejeitado por ser considerado uma celebridade. Os fiéis são chamados perante as autoridades para dar um relato alternativo da realidade, uma alternativa feita de saltos imaginativos que transcendem os dados presentes, saltos imaginativos que, na melhor das hipóteses, são dádivas do próprio Espírito de Deus. A pergunta que toca judeus e cristãos é: "Podemos ter esperança?".

A meu ver, quando a esperança é dividida entre nossas comunidades de interpretação, existe a grande probabilidade de ser depositada em um ídolo incapaz de cumprir promessas; segue-se que a esperança nas promessas do Deus verdadeiro só pode ser praticada quando esperamos juntos, e isso apesar de todas as nossas discriminações.

A esperança requer uma Fonte e um Agente de novidade que, de maneiras inescrutáveis, seja gerador, que não seja cativo de velhos hábitos ou de compromissos com o presente. Essa é, sem dúvida, uma declaração teológica acerca do caráter de Deus que tanto judeus quanto cristãos professam. Diante disso, começo com a declaração de que a esperança é teologicamente fundamentada, o que, obviamente, marca as cartas desde o início. Contudo, a alternativa a essa agência exterior às estruturas presentes é encontrar base para a esperança dentro das próprias estruturas presentes da vida. Essa estratégia inevitavelmente produz a absolutização de alguma estrutura de poder que, cedo ou tarde, se torna idólatra e autodestrutiva.

✢ ✢ ✢

O novo cântico nunca descreve o mundo tal como é agora. O novo cântico imagina como o mundo será no devido tempo vindouro de Deus. O novo cântico é um protesto contra a forma como o mundo é agora. O novo cântico é recusa em aceitar o mundo atual como ele é, recusa em crer que é certo, ou que o presente permanecerá. A igreja é sempre ousada, intrépida, perigosa e livre ao máximo quando entoa um novo cântico. Pois então canta que, por fim, o poder do evangelho não deixará o mundo em seu presente estado.

✢ ✢ ✢

A esperança requer uma comunidade de fé e ação aberta para a novidade que será concedida como dádiva. A esperança é, verdadeiramente, uma atividade comunitária, pois ninguém pode ter plena esperança sozinho. A intenção da Agência Sagrada é formar comunidades de ação obediente que confiem na intenção divina e atendam a ela. A formação e manutenção de comunidades desse tipo são sempre problemáticas, pois as muitas narrativas de desesperança são, à primeira vista, mais impressionantes e tranquilizadoras que as narrativas de esperança. A comunidade de fé e ação formada em torno de Moisés teve dificuldade de ser fiel e procurou, de imediato, voltar ao Egito, onde havia alimento garantido (Êx 16.3); e quando a comunidade foi liberta do Egito, sem demora confeccionou para si imagens que dariam testemunho contrário à livre geratividade de Javé (Êx 32.4). A situação não é diferente na formação por Jesus de uma comunidade de discípulos caracteristicamente temerosos, obtusos e indiferentes. A comunidade de obediência fiel, portanto, está continuamente em perigo; em seu perigo, contudo, consegue ao longo do tempo atender de modo suficiente à geratividade divina a ponto de avançar no mundo.

✥ ✥ ✥

Deus nos chamou para "a terra dos viventes". Ela se encontra além de nossa impotência e desesperança. Para chegar lá, é preciso honestidade a respeito de nossas mortes profundas e malogradas. Além dessa honestidade reside todo o poder de Deus, concedido àqueles que o recebem em sua carência.

✥ ✥ ✥

A igreja e seus pastores aguardam a dádiva de novidade vinda do Espírito. Uma das maneiras pelas quais a igreja e seus pastores o fazem é dando constantemente voz e visibilidade à nossa ambivalência comum; graças a isso, estamos em situação de voltar a escolher, voltar a escolher além de todas as nossas velhas e desgastadas opções. O Espírito é vento, não muro. É possibilidade, não coerção. É oportunidade, não ameaça. E, quando recorremos a muro, coerção e ameaça, apenas imitamos e reproduzimos a narrativa dominante de militarismo de consumo. Nossa narrativa, contudo, é uma alternativa não apenas quanto ao resultado, mas quanto ao modo. De acordo com o texto, o vento diz respeito a

nova criação
nova liberdade da escravidão
novo nascimento

Tudo isso é menos provável atrás das barricadas de convicção que exigem que neguemos uma porção de coisas a nosso respeito. O ministério é a favor de dizer a verdade a respeito da condição em que nos encontramos, todos nós juntos. E dizer a verdade nos liberta.

✢ ✢ ✢

Usei intencionalmente o termo "imaginação", pois desejo asseverar que esse relato narrativo estilizado é, verdadeiramente, uma construção humana. Os poetas juntaram palavras desse modo específico. Os poetas usaram esse modelo de culto a fim de reiterar e representar essa defesa. Acontece repetidamente; toda vez que um pastor e um regente de coral se reúnem para escolher hinos, seu trabalho é de imaginação construtiva com a finalidade de levar a congregação, por sua vez, a imaginar o mundo de determinada maneira. Parte considerável do culto é norteada por tradição e prática convencional, mas aqueles que constroem esse culto precisam, a cada vez, realizar um ato de imaginação a fim de determinar o que será destacado e adaptar a defesa à especificidade do contexto.

Somos aqueles que têm atenção, que observam aqui e ali a forma misteriosa pela qual Deus transforma o mundo. Olhamos atentamente e notamos um leproso purificado, um morto que dança, multidões alimentadas, justiça feita, corpos restaurados. Os milagres de Páscoa acontecem aqui e ali, e o povo de Deus se engaja no mistério da obra transformadora de Deus. Desejamos intensamente esses momentos em que o poder da morte e da injustiça não prevalece no mundo. Damos testemunho do amor imutável de Deus.

✢ ✢ ✢

Pode ser uma tentação desejar ser transformado segundo as imagens dominantes de nossa sociedade e pensar que é o evangelho — mais cativante, inteligente, competente, ambicioso, seguro. Com esforço, você pode realizar seu desejo, afinal, todos aqui são realizadores bem-sucedidos. Em última análise, porém, a transformação de nada adiantará, pois, na realidade, essa não é a razão de nossa vida. A transformação que conta consiste em aceitar nossa singularidade como criaturas de Deus.

Talvez a tentação com respeito à transformação seja a de imaginar que estou completamente sozinho e que, se é para acontecer uma transformação, terei de trabalhar nela; entram em cena dez ações para ter um corpo saudável, seis passos para sexo prazeroso e quatro disciplinas para prosperidade. Em oposição a toda essa autoajuda, estamos sendo transformados, até apesar de nós mesmos, porque Deus não desiste de nós.

Ou as tentações podem ser de desesperança, saber que em nossos lugares mais recônditos resistimos a mudanças, não queremos mudar, nunca mudaremos. A notícia é que estamos sendo transformados pelo poder de Deus, conquistados para o propósito de Deus por um poder ao qual nem nossa desesperança mais profunda é capaz de resistir.

✛ ✛ ✛

Somos chamados a nos revestir da noção de que mudança pode ser mais saudável que estabilidade e constância. Claro que todos nós sabemos disso a respeito de várias dimensões da vida, mas demoramos a perceber a ação de Deus nas mudanças. Fomos ensinados que ele é um Deus que nunca muda, que sempre fornece a qualidade de permanência em um mundo que parece tão efêmero. Estamos redescobrindo nas Escrituras, porém, que estamos envolvidos com um Deus em movimento, que se revela com mais frequência não no comodismo das coisas como são, mas na ameaça do novo. E teremos de aprender a nos perceber de uma nova maneira.

✛ ✛ ✛

Está chegando uma revolução pascal, por meio da qual o mundo será conduzido à nova vida. E somos os protagonistas desse movimento. Ele começa com vívida esperança e termina com maravilhosa felicidade. Pela fidelidade de Deus, passamos do clamor à felicidade. No centro da história estão o pão, o vinho, a dádiva, a novidade. Isso diz respeito ao Deus que está mais pronto a conceder dádivas do que nós estamos a recebê-las. Vemo-nos entre aqueles que buscaram e pediram — e receberam!

✛ ✛ ✛

Ao dizer a verdade que quebra a negação, você se torna um "contador de esperança" que quebra o feitiço da desesperança. Você imagina, como muitos, que não há como sair do pântano moral, das fantasias ideológicas, do peso de um mundo mal administrado e irreversível? Imagina uma igreja tão preocupada com entusiasmo ideológico que não tem energia para a missão e que deixa você exausto e sem esperança? O melhor a fazer é tirar um descanso sabático e se tornar um contador de esperança, um poeta da "realidade daquilo que esperamos", da "convicção de coisas que não vemos". Tire um Sábado da desesperança ao olhar para a verdade surpreendente de que Cristo ressuscitou e de que a criação se enche do poder pascal de nova vida que Deus agora está concedendo. Conte sobre a esperança que sabe que as cotas de tijolos de medo, coerção e usurpação estão prestes a acabar. Conte sobre a esperança que não depende de nossas convicções conservadoras nem de nossa autoconfiança liberal, mas apenas do Deus que pronunciou o veredicto de Páscoa sobre um novo mundo e o considerou "muito bom".

✛ ✛ ✛

O que veio a ser novo, pela misericórdia de Deus, é que o recrutamento realizado por Jesus de Nazaré como precursor de um novo mundo agora, por sua vez, reuniu uma nova comunidade de fiéis que se tornaram o motivo do agradável riso de Deus no mundo contemporâneo. O corpo de Cristo no mundo, reunido de todas as nações, agora é recrutado para exercer o governo de Deus no mundo. À luz da Sexta-Feira, sabemos que esse é um governo de vulnerabilidade que cura, reconcilia, transforma e perdoa. É um governo que se opõe à agressão das nações que continuam a imaginar que poder brutal combinado com tecnologia implacável é a onda do futuro. À luz do Domingo, sabemos que esse é um governo de alegria que surpreende, encanta e gera novas possibilidades.

✤ ✤ ✤

A esperança exige um texto que seja mediador entre a geratividade santa e a obediência comunitária. Esse texto mediador que constitui a ligação primordial entre a geratividade santa e a obediência comunitária é, necessariamente, um texto singular ou, nas palavras de Karl Barth, sempre "estranho e novo". Ao longo do tempo, não faltaram estratégias para tentar tornar administrável aquilo que é estranho e tornar corriqueiro aquilo que é novo; em longo prazo, contudo, essas estratégias não têm como ser bem-sucedidas em razão do caráter do texto em si e em razão do Personagem que ocupa o texto. Por isso, por um lado, há infindáveis conflitos a respeito do texto e, por outro, os protagonistas interpretativos concordam em termos gerais que o texto é revelador e oferece vislumbres daquilo que permanece oculto de nós.

Uma vez que o texto atua como mediador entre a geratividade santa e a obediência comunitária, a esperança requer comunidades de interpretação emancipadas, emancipadoras, gerativas e ousadas em sua interpretação. Ao mesmo tempo, contudo, essas comunidades encontraram maneiras de resistir à força gerativa da interpretação, quer pelo reducionismo fundamentalista, quer pela explicação crítica, pois tanto o reducionismo quanto a explicação inevitavelmente refreiam a forma subversiva perigosa do texto que dá testemunho do mistério sagrado escondido.

✣ ✣ ✣

Oramos para que seja feita a vontade de Deus na terra como no céu (Mt 6.10). Imaginamos como é no céu e pedimos que seja o mesmo na terra. Mesmo em nossas orações, contudo, não sabíamos que a terra podia ser transformada. Pensávamos que não houvesse remédio para nossas cidades, que nossos programas e práticas seriam interminavelmente repletos de veneno e morte. Toda essa destruição, porém, perdeu força e autoridade. Está chegando uma Novidade que transcende nosso poder de falar ou de tomar iniciativas. É uma novidade radicada no poder de Deus, que agora se concretiza em forma humana, terrena e pública.

Deus, aquele que é caracterizado por graça e misericórdia, é um Deus de justiça, retidão e verdade. O mundo não está às ordens de todos. Não está à disposição de nossa tolice, violência, poluição, riqueza, medo ou poder. Vimos indícios de Deus. Vimos indícios em Jesus de Nazaré. Vimos nele o suficiente sobre graça, misericórdia, justiça e verdade. Vimos o suficiente desse Deus para fazer a jornada que nos leva além de nossos muitos defeitos. Deus ingressa conosco na novidade, e estamos a caminho, regozijando-nos no poder do Espírito.

Pentecostes não diz respeito simplesmente a falatório em meio à confusão. Pentecostes diz respeito a um futuro liberto que Deus prometeu e que Deus concederá. O mesmo Deus que causou estranheza no passado é o Deus que concede novidade no futuro.

✧ ✧ ✧

Que vocação impressionante para a igreja ser livre e repleta de esperança em um mundo que se tornou amedrontado, e pensar, imaginar, sonhar, ter a visão de um futuro que Deus realizará. É um trabalho e tanto para a igreja formar uma visão quando a sociedade ao redor está paralisada de medo, preocupada com conveniência, fascinada com riqueza, em busca de poder infindável, e profundamente assustada. E eis esta pequena comunidade de pessoas visitadas, sem ganância, sem temor, sem desesperança, que sonha com o caminho da paz entre povos, que profetiza a respeito de uma terra em que há ordem, de ganância refreada o suficiente para respeitar as necessidades do meio ambiente, não defensiva em relação a outros, mas capaz de incluir os que não são como nós.

Essa comunidade não tem dúvida de que o bom mundo vindouro de Deus não está no passado, não está no céu, mas está na terra, além do medo sangrento e do caos assustador. Que lugar extraordinário para a igreja ocupar em Pentecostes!

A notícia é que Deus determina esse estranho caos do exílio. Deus determina a desintegração de nosso mundo, pois é nessas circunstâncias que a promessa tem uma chance. A notícia mais importante, contudo, é que irromperemos em riso depois, o riso de Sara, o riso pascal de Jesus, o riso cósmico de Deus cujo reino não terá fim. Junto com nosso mundo cansado, seremos refeitos para cantar, louvar, nos entregar, ter comunhão e obedecer. Seremos refeitos junto com o mundo que, no momento, é prudente demais, astuto demais, coercivo demais. Seremos refeitos em conformidade com a poderosa esperança de Deus. Em nosso medo e comodismo, podemos resistir ao clamor e, com isso, impedir o riso, esperando que as coisas prossigam da maneira habitual, para sempre e eternamente. Mas esse caminho só leva a matar e morrer. É "o outro caminho" que nos leva a dizer com nossa comunidade: "Amados, já somos filhos de Deus, mas ele ainda não nos mostrou o que seremos quando Cristo vier. Sabemos, porém, que seremos semelhantes a ele, pois o veremos como ele realmente é" (1Jo 3.2). Seremos como ele: como ele banqueteando, como ele com medo abolido, como ele com fartura de pão, como ele não mais aprendendo a guerrear, como ele, mas tudo começa no caminho de perda que choramos por toda a criação malograda. Começa ali. Termina na mais absoluta alegria. Termina em um riso que ecoa o riso gracioso e majestoso de Deus.

❖ ❖ ❖

A esperança na fé do evangelho não é apenas um sentimento indistinto de que as coisas vão dar certo, pois é evidente que as coisas não vão simplesmente dar certo. Antes, esperança é a convicção, contrária a uma porção de dados reais, de que Deus é tenaz e persistente na tarefa de superar a mortalidade do mundo, de que Deus tem por propósito a alegria e a paz. Na história de Jesus, os cristãos encontram evidências convincentes de que ele, com grande persistência e vulnerabilidade, por todo lugar que passava, transformou a malquerença social em uma nova possibilidade, voltou a tristeza do mundo em direção à alegria, deu início a um novo regime em que os mortos são ressuscitados, os perdidos são encontrados e os refugiados são levados de volta para casa. Nossa esperança vem da memória arrebatadora desse Jesus!

✤ ✤ ✤

Esperança é a profunda convicção religiosa de que Deus não desistiu.

✤ ✤ ✤

"Ele os batizará com o Espírito Santo" (Lc 3.16). Imagino que essa declaração pareça tão estranha para você quanto para mim. E imagino que tenha parecido estranha para eles. Nós que somos relativamente abastados e relativamente sofisticados não falamos dessa maneira, não a esperamos, e não a acolhemos. Na verdade, porém, ser batizado com o Espírito Santo de Deus não significa ter um ataque de histeria carismática. Tanto quanto entendo, significa ser visitados por um espírito de abertura, generosidade, energia, significa que "a força" vem sobre nós, leva-nos a fazer as coisas obedientes que ainda não fizemos, coisas do reino das quais não pensamos que fôssemos capazes, coisas de cuidado pelo próximo das quais nos esquivamos, pois a novidade está chegando a nosso meio.

✤ ✤ ✤

Ezequias começou a transigir com realidades político-econômicas, e a esperança de liturgia, em sua maior parte, desapareceu. Mas Israel, que não foi o último a seguir por esse caminho, preferiu a liturgia à realidade e, portanto, continuou a cantar e a esperar:

Cantava e esperava por alguém que seria cheio do Espírito de Deus.

Cantava e esperava pelo bom juiz dos pobres que estava por vir.

Cantava e esperava por uma criação restaurada e regenerada.

Os israelitas cantavam e esperavam. E, toda vez que cantavam, rejeitavam a realidade terrível ao seu redor. Toda vez que esperavam, juntavam energia para nova fé e coragem no mundo.

✤ ✤ ✤

Em Isaías 40, o poeta não se dobra nem se entrega ao poder assustador, mas também assustado e tênue, do império, pois o mundo não podia ser apoiado ou sustentado por esse poder mortal. A criação (e você) pertence não ao império que nega a vida, destrói o mundo e anula a fé, mas ao Deus que cuida em aparente ausência e governa em aparente derrota. Os submissos são chamados a entrar no poema, a tocar a fonte de vida por trás do império e além dele, a aceitar a situação real presente na companhia do Deus que o império não é capaz de destronar. Você não sabe? Não ouviu? O mundo pertence a esse Deus, o automotivador que mantém o mundo e a nós dentro de uma ponderosa vontade de viver.

✤ ✤ ✤

A boa notícia é que não precisamos servir ao deus errado, confiar no doador de vida errado, temer o poder errado. Podemos interpretar a vida de forma diferente ao esperar com ansioso desejo que o Deus da criação e salvação opere de uma nova maneira no mundo, ao aguardar com ardente expectativa, aguardar com zelo ativo, recebendo cada fragmento de novidade e agindo em função dele, ao estar prontos para obter a dádiva da vida, para deixar de lado o medo, a intimidação, a resignação, a exaustão, à medida que seu governo produz novidade.

✤ ✤ ✤

Paulo sabe, e a igreja sempre soube, que está à solta no mundo o poder da morte, todas as forças pessoais, sociais e cósmicas que desejam anular nossa vida e reduzi-la a terror vazio que nos atormenta, nos corrói e nos convence a abandonar nossa verdadeira identidade. Então chega a força da Páscoa, o poder de Deus de produzir novidade. Paulo não se prende a perguntas cheias de curiosidade sobre o que aconteceu naquele domingo singular. Pois a igreja sempre conhece o tempo presente, não apenas uma manhã de domingo muito tempo atrás, mas o tempo presente em que a força poderosa de Deus para a vida foi liberada no mundo.

✤ ✤ ✤

Imagine, como Jesus imagina, um grupo de discípulos que não se acomodaram no presente, mas que agora estão cheios de esperança pascal. Aqueles que estão cheios de esperança pascal têm a capacidade de ser singulares, de ter coragem, de receber novidade de Deus que o mundo não espera. Para eles, Jesus diz: "Saltem de alegria!". A novidade vem!

✤ ✤ ✤

O evangelho é uma declaração de boas-vindas à terra dos vivos para aqueles que, em sua exaustão mais profunda, confiaram em Deus. Considere quem está na terra dos vivos. Não são os dissimulados, que se imaginam animados e belos. Não são os sisudos, que desejam repreender e controlar. Não são os que pensam e agem exatamente como nós. Não, a terra dos vivos é para aqueles que, na verdade, estão se recuperando, do álcool, da ira, da ganância, da lascívia, da desesperança, do egoísmo, do preconceito contra gênero, raça e idade, pessoas que deixaram para trás o medo, a raiva e o furor, pois entregaram sua vida malograda a Deus. A palavra de Deus se dirigiu a eles, chamando-os a "sair do armário". Sentiram o sopro do vento de Deus, que sacode os ossos para produzir novidade.

Ressurreição dos mortos é a capacidade divina de tomar uma circunstância de paralisia e desesperança totais e, a partir dela, produzir algo novo. A Páscoa é o exemplo mais evidente da disposição de Deus para novidade que o mundo experimenta como milagre inexplicável. Esse exemplo mais evidente, porém, é cercado de dádivas e surpresas que nos permitem respirar, dançar e viver de formas inesperadas. É tudo ressurreição!

Deus é o automotivador que recomeça o mundo quando não conseguimos enxergar nenhuma novidade no horizonte. A boa-nova é, certamente, uma palavra urgente de promessa em nosso tempo, pois a sociedade e o mundo estão à beira da estagnação, e ninguém consegue enxergar o futuro. Contudo, mulheres e homens de fé sabem que não é bem assim. Não temos esse conhecimento em virtude de magníficos programas ou grandes estratégias. Não temos esse conhecimento em virtude de excelentes recursos ou informações secretas. Temos esse conhecimento porque fazemos parte da história de uma alternativa de nova possibilidade, fundamentada em amor incondicional, bem no meio de nossa vida. E a observamos vindo à tona de formas específicas quando as pessoas se entregam à bondade de Deus.

Imagine que, em nosso meio, o Deus da nova criação e da vida garantida determine novidade. Os que confiam alçam voo. Os que creem avançam. Os que sabem podem dançar, cantar, correr riscos e cuidar de outros. Somos todos filhos de Abraão e Sara, um novo herdeiro, um recomeço, uma nova possibilidade, e até mesmo uma nova cidade. Não servimos aos deuses dos antigos sistemas, mas ao Deus de liberdade fiel que concede vida aos mortos e faz existir coisas que não existem.

Pessoas como nós não gostam de mudança repentina nem de ação heroica. Aproximamo-nos da novidade de Deus cautelosamente, desconfiadamente, seletivamente. Quem sabe o ponto de partida para nós seja — tendo em conta que as questões públicas fundamentais talvez sejam exigentes ou assustadoras demais — refletir sobre a nova convocação para o eu. Nosso eu está localizado, em sua maior parte, em memórias antigas e definidoras que recebemos em dias melhores de outrora. O evangelho é sempre um chamado para deixar essas antigas certezas e ingressar na novidade de Deus. Talvez possamos nos arriscar a correr soltos. Talvez fiquemos tão surpresos quanto chacais e avestruzes ao encontrar água fresca, novo espírito e nova vida. Talvez nos juntemos às feras do campo com novos cânticos de louvor, doxologia e encanto. Uma vida entoada em louvor inédito é uma vida que deixou de ser cativa de antiga memória, antiga culpa, antigo medo ou antiga exaustão. É, de todo, estonteante novidade agora oferecida, muito além de nossos muitos exílios, rumo ao lar. Você não percebe?

✢ ✢ ✢

Os cantores geraram cânticos. Os cânticos se tornaram texto. E o texto devia ser lido e relido, ouvido e reouvido, interpretado e reinterpretado. Uma comunidade capaz de confinar textos a um só significado é uma comunidade de estabilidade. Em contrapartida, uma comunidade de esperança tem textos que sempre significam algo novo; esperançosos envolvidos de modo inescapável no malabarismo de interpretação que se move desafiadoramente entre aquiescência à ordem presente e o risco que se abre por entre inúmeras camadas de imaginação e polivalência. Essa interpretação estratificada recusa encerramento, pois o encerramento do texto seria apenas um encerramento associado ao império e, antes dele, à olaria de tijolos.

✢ ✢ ✢

A sentinela observou o movimento das tropas e chegou a esta conclusão: "Caiu, caiu a Babilônia!". A realidade de nosso momento evangélico é que a Babilônia caiu e está sempre caindo. O poder do império, o regime da antiga verdade, não é capaz de resistir ao novo poder de vida que chega ao nosso meio. Que peso! Que risco! Que maravilha estar presente e se pronunciar enquanto a nova verdade deslegitima e descontrói o que é velho e malogrado. A novidade chega com pronunciamentos e debaixo deles. E nós somos os escolhidos!

✤ ✤ ✤

Esta é a natureza dos milagres de Deus: nova vida e nova dádiva surgem de maneiras que não entendemos. Há um hiato em nossa administração do mundo. Há um mistério que subverte nossos cálculos mais precisos, e a vida se infiltra pelas rachaduras com novidade que não somos capazes de produzir para nós mesmos.

✤ ✤ ✤

Ser "glorificado com Cristo" significa estar presente com Jesus na espantosa maravilha pascal em que nova vida irrompe em meio à morte, o amor sobrepuja velhos ódios, nova justiça rompe as cadeias de velha injustiça, amor perfeito lança fora nosso medo e ressentimento. Somos tão novos quanto o dia da ressurreição.

✤ ✤ ✤

Nossa participação da Páscoa não é dramática. Consiste em pensar e agir em direção à novidade quando despertamos para a consciência de que o mundo pertence a Deus, e não a nós, de que a abrangência da compaixão de Deus pelo mundo é para nós, por nosso intermédio e para além de nós.

✤ ✤ ✤

O poeta convida seu povo a abandonar os ídolos derrotados da antiga negação e se voltar para as magníficas novas de vida, transmitidas pelo justo Salvador que forma um novo mundo. O novo mundo não será a velha e cansada Jerusalém repaginada. O novo mundo não será uma repetição de velhos sintomas, velhos círculos viciosos, velhos jogos que as pessoas fazem, mas um novo modo de vida marcado por hospitalidade, compaixão, justiça, inteireza. E Deus realizará essa obra.

✤ ✤ ✤

É verdade que, quando olhamos, a terra é sem forma e vazia, e os montes estremecem e o mundo é esvaziado de pessoas e animais? É verdade que Deus declarou que o caos não é seu âmbito de ação, mas o poder da vida sobrepuja o caos e forma novidade? É verdade que riremos ao ver o novo mundo se formar? É verdade que abrir mão permite novidade? É verdade que a alusão à dor cósmica deixa espaço para possibilidades pessoais? É verdade que abandonar velhos ídolos proporciona um caminho para o Deus da vida que está além do nosso controle, mas presente na dádiva que recebemos? Sim, sim, sim! A igreja diz sim. A nova Jerusalém exclama confirmação. A nuvem de testemunhas comprova o que dizem os poetas. A vida não é um silogismo de teologia, um plano de moralidade, um programa de terapia. É uma história singular narrada por pessoas que têm relatos de transformação concreta, relatos de encarar o caos e receber nova vida, de rir profundamente com alegria de Deus, dádiva de Deus, vitória de Deus, e ter a ousadia de zombar do caos que perdeu seu poder.

✤ ✤ ✤

Precisamos esquecer e precisamos lembrar. Tenho minhas suspeitas de que, por vezes, a igreja é propensa a lembrar exatamente aquilo que deveria esquecer, e esquecer exatamente aquilo que deveria lembrar. Lembrança e esquecimento são questões delicadas. E a melhor forma de resumi-las é no cântico que entoamos. Temos grande prazer em contar a velha, velha história. É nossa melhor recordação. No entanto, vivemos na esperança (que significa esquecimento) de que a velha, velha história se tornará o novo, novo cântico. Não sabemos como acontecerá. Mas essa transformação é prometida àqueles que arriscam a memória em troca da esperança.

10
Testemunho público e responsabilidade

Este é o momento de nossas expectativas em relação à igreja crescerem. Devemos esperar da igreja:

- que ela continue a dizer a verdade sobre as questões fundamentais de nosso tempo;
- que ela dê continuidade aos maravilhosos fuxicos sobre essa pequena comunidade que somos; e
- que ela continue a nos atrair em direção a vozes desconhecidas que transcendem nossa voz.

✤ ✤ ✤

Há um bocado de desatino religioso por aí. Diz respeito a ideias como "siga sua felicidade". Ou, mais popularmente, "não sou religioso, mas sou espiritual". O significado desse mantra, agora repetido com frequência, é que pode haver apenas "eu"; não preciso de mais nada para a dimensão religiosa de minha vida, como uma espécie de "sistema de livre mercado" na religião. É verdade que você pode ter religião dessa forma; mas, sozinho, não pode ter o Deus do evangelho. Para a verdade do evangelho, precisamos de uma comunidade com poder de permanência, uma tradição com profundidade e um mandato missional que nos atraia para além de nós mesmos. Afinal, a verdade do evangelho não é uma negociação particular que não traz inconveniente nenhum para nós.

✦ ✦ ✦

Restam pouquíssimas pessoas para pronunciar a verdade em nosso meio, e ainda menos pessoas para pronunciar esperança em nosso meio. Peço, portanto, que você imagine que sua congregação é um dos raros lugares em sua cidade em que a verdade pode ser dita,

a respeito do militarismo,
a respeito do consumismo,
a respeito da antissociabilidade,
a respeito da violência.

E sua congregação é um dos poucos lugares em que se pode pronunciar esperança:

Um amor que não abre mão de nós,
pois não temos outra esperança senão em ti.

✦ ✦ ✦

O caos que agora enfrentamos em nosso mundo é imenso, profundo, custoso e assustador. O povo de Jesus, contudo, tem trabalho a fazer, trabalho na comunidade, trabalho em programas públicos, trabalho que começa na Mesa Sagrada. Esse trabalho consiste em encarar o caos e, então, assumir um compromisso com a nova criação de Deus.

✦ ✦ ✦

Deus nos chamou para uma imensa responsabilidade, não para usar a terra, mas para cuidar da terra. Numa sociedade em que somos todos compradores, usuários e consumidores, o evangelho chama cada ser humano a ser um administrador dos recursos da vida de maneiras que contribuam para o bem comum. Reunimo-nos regularmente para perguntar juntos: "O que precisa ser feito para ajudar a terra a operar de modo mais pleno?", para deixar que a comunidade seja mais humana, para deixar que a sociedade seja um lugar de bem-estar para todos?

✢ ✢ ✢

As questões que provocam conflito na igreja em nossos dias não são questões criadas por algumas pessoas cheias de raiva, mas sim questões que tocam profundamente o cerne de nossa fé. Podemos eliminar as vozes que ameaçam, podemos calar os sons que nos desagradam, podemos mudar a cena, podemos transferir a ação. O que não podemos fazer é evitar o chamado à maturidade presente no evangelho. E esse chamado é para que nos despojemos daquilo que estimamos e nos revistamos daquilo que tememos e detestamos.

✢ ✢ ✢

Somos chamados a nos revestir de amor pelo mundo, o mundo que fomos ensinados até a medula dos ossos a temer, detestar e resistir. No entanto, não o aprendemos de Cristo. Dele aprendemos que "Deus amou o mundo de tal maneira". Portanto, em nosso amadurecimento, precisamos perguntar como nos sentimos a respeito de um mundo de armas, pobreza, TV, mobilidade, pressão, pressa, pessoas e problemas. Essa ideia é bastante inédita para muitos de nós, e a igreja é acusada de não nos ajudar a amar esse mundo no qual Deus nos colocou.

Teremos de nos revestir da ideia de que a vida, em toda sua fartura, vem do envolvimento. Nossos ideais monásticos, porém, transformados apenas ligeiramente em indiferença de classe média, nos ensinaram a evitar e a nos manter afastados e indiferentes. No entanto, não o aprendemos de Jesus. Dele aprendemos a vida de envolvimento desde a manjedoura até a cruz, com um caminho entre elas coberto de necessidade, poeira, alegria e toda a humanidade do mundo para o qual ele veio. A vida de Jesus fala com grande eloquência sobre a alegria e a dor do envolvimento, e nos chama a desaprender nossos conceitos não cristãos de desinteresse pelo sofrimento do mundo.

✢ ✢ ✢

A Bíblia não é excessivamente religiosa. Não tem interesse contínuo no céu, exceto pela consciência de que um novo céu sempre produz uma nova terra. Nós religiosos não podemos ter a ousadia de tagarelar sobre Deus no céu se não realizarmos o trabalho árduo que gera a nova terra.

✢ ✢ ✢

Só nos interessamos por testemunhas e depoimentos quando a verdade e suas proposições são contestadas e se torna necessário recorrer a um tribunal. Quando há concordância suficiente a respeito da verdade para resolver questões fora de um tribunal, nenhuma testemunha precisa ser chamada, nenhum depoimento precisa ser registrado, nenhum testemunho precisa ser apresentado.

Durante um longo tempo, as proposições da fé cristã se acomodavam tão facilmente em nossa cultura que não havia controvérsia acerca da verdade. A igreja, em sua maior parte, não pensava na tarefa perigosa de dar testemunho. "Martírio", esse é o termo grego para testemunho. A ideia de testemunho como uma empreitada perigosa parecia um conceito antigo e antiquado, não mais relevante para uma sociedade de consenso moderna e moderada.

Ultimamente, porém, a verdade voltou a ser contestada até mesmo em nosso meio. A necessidade de adjudicação da verdade surge, em parte, como produto da confusão que vivemos em um mundo que, recentemente, se tornou estranho. Também surge, em parte, em decorrência de defesas intensas e acirradas que se chocam umas contra as outras e não podem ser facilmente conciliadas. Nesse ambiente, a controvérsia é inescapável e, portanto, há necessidade de testemunhas.

A essência da fé cristã, o conjunto de convicções e ensinamentos, não é uma questão pessoal, uma experiência imediata que podemos aceitar; antes, é uma longa e lenta conversa, mantida viva para nós por meio de um bocado de trabalho árduo durante muitas gerações. Essa fé foi mantida viva por mães e pais, pessoas terrivelmente comuns. Também foi mantida viva por testemunhas eficazes e intrépidas que investiram a vida de maneiras perigosas, pois tinham uma perspectiva diferente da realidade.

Somos chamados a entender que o significado da vida cristã está na construção de estruturas e instituições sociais justas e equitativas. E, obviamente, isso significa abrir mão de boa parte do paternalismo de uma ética de amor que incentivava a generosidade, mas não a reconstrução da ordem social.

Essa é uma realidade bastante difícil de muitos aceitarem, pois nos aliamos a um Deus bondoso, generoso e um tanto ingênuo. Mas não aprendemos isso de Cristo. Nele, vemos um Deus que cria e destrói reinos, que se opõe a governos e sistemas sociais, que intervém em favor da humanidade e contra as formas mais desenvolvidas e sofisticadas de desumanidade. Precisaremos nos revestir do reconhecimento de que somos membros de um sistema social que deve prestar contas daquilo que ele faz às pessoas.

O caráter decisivo desse ministério não consiste na possibilidade de que a igreja prospere. Consiste na possibilidade de que o mundo viva (e não morra) e se regozije (e não se acovarde). Esse ministério é decisivo porque não existe ninguém exceto a igreja em seus melhores dias — e a sinagoga e a mesquita em seus melhores dias — para mediar santidade irascível em forma de novidade, para evocar a consequente ambivalência, para conduzir essa ambivalência em direção à novidade e, então, esperar. O roteiro dominante do militarismo terapêutico e tecnológico de consumo não faz nada disso:

- Não media nem reconhece a santidade irascível.
- Não evoca nem reconhece a consequente ambivalência.
- Não é capaz de conduzir a ambivalência em direção à novidade.
- Não espera.

O ministério, com todo o preço e a alegria do discipulado, é urgente em nosso meio, tão urgente quanto é magnífico, difícil, extraordinário e desconcertante. É, de fato, um tesouro em vasos de barro.

✢ ✢ ✢

O mundo está à espera de cristãos que não sejam irados, ansiosos, exaustos, briguentos, cínicos ou sem esperança. O mundo está à espera de pessoas que confiem o suficiente para irem além de si mesmas.

✢ ✢ ✢

A igreja existe para que a cidade tenha sua verdadeira identidade. Jesus e a igreja podem mostrar à cidade por meio de sua vida e de nosso ministério as coisas que promovem paz. Jesus e a igreja podem mostrar à cidade por meio de sua vida e de nosso ministério as coisas que promovem misericórdia, justiça, compaixão e reconciliação, as coisas que tornam a cidade uma comunidade humana viável.

A igreja, a exemplo de Jesus, tem uma verdade de Sexta-Feira para contar à cidade, a verdade de que o amor sofredor é a única forma viável de vida pública. A igreja, a exemplo de Jesus, tem uma verdade de Domingo para contar à cidade, a verdade de que a dádiva divina de nova vida permite formas bastante diferentes de lidar com dinheiro e poder, habitação e saúde, empregos, água e justiça; todas elas são novas possibilidades porque, na Páscoa, o mundo recomeçou debaixo de um novo governo.

✢ ✢ ✢

A igreja, nessa vocação de dizer a verdade, não está preocupada consigo mesma, nem com sua sobrevivência. Fica evidente que a igreja não deve ser uma fuga da realidade da cidade. Antes, ela é convocada pelo evangelho para ser protagonista na cidade, a fim de que até mesmo a cidade possa refletir acerca do governo do Deus de Israel, que também é nosso Senhor e Salvador. Jesus chorou pela cidade, mas está pronto, sem demora, para rir com riso de Páscoa pela cidade, cheio de alegria e esperança, quando a cidade se torna uma verdadeira comunidade. Podemos ser aqueles que têm a oportunidade de transformar o choro de Jesus na alegria de uma Páscoa urbana de nova vida. Para isso, é necessário que pensemos e vivamos de forma diferente no lugar em que Deus nos colocou.

A igreja gosta de brigar por causa de programas sociais, justiça, impostos e direitos. Alguns pensam que nada disso nos diz respeito na igreja. Mas estão errados, pois fomos batizados. E o fato de sermos batizados significa que deixamos de fazer parte do grupo daqueles que são egoístas, gananciosos e preocupados consigo mesmos, pois fomos batizados para nos tornar parte de uma nova história de Jesus, e nossa vida é caracterizada por generosidade, graça e perdão, especialmente para com as pessoas com deficiências, pessoas que nós, como Jesus, chamamos à frente para que sejam curadas.

Somos aqueles que clamam cheios de esperança e indignação, pois o mundo não está em ordem. O mundo, em sua fome desértica, em sua injustiça temerosa, em suas tempestades desestabilizadoras de finanças e sexualidade, em seu cativeiro, em sua brutalidade, em sua desumanidade, precisa de uma voz para o clamor de defesa. E fomos nomeados para ser aqueles que se dirigem insistentemente a Deus em favor do mundo, para que o mundo seja transformado.

✢ ✢ ✢

A igreja se encontra, no momento, em uma luta pela verdade do evangelho; talvez seja sempre o caso. A igreja é seduzida a se conformar com pietismo em uma extravagante reivindicação de direitos a fim de que Jesus não cause incômodo. A igreja é tentada a transformar esse Jesus em uma competição, o que leva cada um de nós a pegar sua pequena porção de verdade ideológica e imaginar que é imensa. A igreja é tentada a se esquecer da proposição densa e profunda da santidade de Deus e reduzir a visão de Jesus a um programa social. Mas a doxologia mantém o caráter indefinível e transcendente de Jesus, ela o mantém cheio de graça e verdade, cheio de soberania e poder, cheio de morte de Sexta-Feira e vida de Domingo, e nós somos chamados à obediência.

✢ ✢ ✢

Precisamos entender nossa fé em conceitos amplos e públicos, pois os propósitos de Deus não são realizados em nossas pequenas áreas de piedade, mas nos grandes assuntos de Estado, em que as pessoas são esmagadas ou valorizadas.

✢ ✢ ✢

Em nosso país, o evangelismo é um negócio bastante confuso, emaranhado com estratégias, crescimento eclesiástico e novos membros. Evangelismo, porém, é algo muito mais simples que isso. Significa tão somente sujeitar cada vez mais áreas de nossa vida ao domínio de uma só lealdade, propósito e volição, significa confiar nas notícias, na proclamação de um novo governo e, então, agir conformemente, entregar de bom grado áreas de nossa vida a esse propósito, e não reter nada.

✤ ✤ ✤

Este é um tempo extremamente perigoso e raro para a comunidade de Jesus em nosso país. É um tempo perigoso na cultura ocidental para qualquer um que se importe com o que nos torna humanos e que se importe com a compaixão. Não é um tempo para seguir as fórmulas de sempre, pois os velhos modos de conhecimento fracassaram. Os velhos *slogans* para organizar o poder esgotaram as fórmulas de outrora. Estamos no limiar de algo novo em nossa sociedade, algo que pode ser maravilhosamente curativo ou perigosamente destrutivo. Proponho que na periferia de nossa cultura o poder de Jesus está à beira de nova possibilidade. Você que faz parte desta geração tem agora novas perguntas diante de si no limiar de sua consciência. Mas são perguntas urgentes. Dizem respeito à possibilidade de cura para as nações, para a comunidade humana, para indivíduos neste mundo tão propenso à morte.

✤ ✤ ✤

Tenho uma notícia: este não é um mundo sem Deus. Por isso, há limites para o caos e a ameaça. Nossa sociedade fala e age como se tudo fosse caos até o fundo. A fé, porém, sabe que isso não é verdade. Deus é Deus. Os batizados são batizados para reagir à ameaça com confiança na bondade de

Deus, reagir à ansiedade com liberdade, ter uma espécie de ânimo em relação à comunidade que o mundo não entende. Nossa sociedade quer que vivamos sempre em estado de alerta. O batismo, porém, diz não, pois Deus permanece em estado de alerta.

✢ ✢ ✢

Em uma igreja que se preocupa com a qualidade da vida humana e com a prática do bem-estar cívico, o poder do egoísmo e da ganância, da violência, da brutalidade e da indiferença parece muito próximo da jugular de nossa comunidade. Pode-se observar a convergência da incidência pessoal de brutalidade, a indiferença dos programas públicos ao sofrimento humano, a desavergonhada exploração da confiança pública para lucro ganancioso; essa é a essência da perversidade. É possível se desesperar a ponto de perguntar: será que o mal prevalecerá? É isso que Deus quer? Entendi tudo errado? As respostas do salmista são acompanhadas de extrema tenacidade: tudo o que diz respeito à injustiça e à exploração não é vontade de Deus. Não, essa conduta não prevalecerá. Não, Deus não cedeu. Não, o mundo não é moralmente indiferente. Não, não, não!

✢ ✢ ✢

A notícia urgente é que a sociedade está caminhando para nossa morte conjunta por ganância, lascívia, indiferença, cinismo, desespero e mil formas de violência e brutalidade. Essa é a história principal. E, no meio de tudo isso, Jesus colocou essa pequena comunidade que pode exercer influência positiva. Reverter o processo. Quebrar os ciclos.

Praticar a humanidade que Deus nos deu e unir poder, amor e disciplina para fazê-lo.

✣ ✣ ✣

O discurso de Deus é um convite para que participemos da cura do mundo e vivamos para criar bênção. Essa tarefa é realizada de várias maneiras e por muitos meios. Os conservadores desejam abençoar o próximo por meio do setor privado. Os liberais desejam abençoar o próximo por meio de programas governamentais. Os generosos desejam abençoar o próximo por meio de atos concretos de auxílio. É uma visão variada quanto a pessoas e maneiras, abrange muitos atos ousados de imaginação, muitos gestos de bondade e generosidade, muitos compromissos com a justiça e a paz no mundo, tudo para exercer influência positiva sobre o mundo. Causar bênção significa transmitir a outros o poder de Deus para a vida que ele nos concede, pois somos canais para esse poder, e não reservatórios, a força da bênção transmitida que flui por nossa vida e além dela para outros. Todos os outros!

11
Rendição

A palavra que receberemos na liberdade do evangelho não é uma palavra agradável sobre um mundo agradável. É, isto sim, uma palavra verdadeira sobre nosso corpo físico e sobre o corpo social, corpos infundidos com a verdade de Deus, mas ainda assim temporários, passageiros, frágeis, mortais.

Temos de praticar muita rendição a fim de chegar à bondade de Deus. É quando nos rendemos à bondade de Deus que chegamos à liberdade do evangelho. Essa rendição assume a forma de generosidade, honestidade, alegria, disposição de vivenciar a boa-nova plenamente.

Abrir mão das alegrias de nossa infantilidade em troca da vida adulta sempre causa certo sofrimento e tensão, pois estamos falando de coisas às quais nos acostumamos, coisas que aprendemos a valorizar e em função das quais aprendemos a viver. De fato, estamos falando de formas de organização de nossa existência pessoal que parecem eternamente válidas. As coisas às quais nos habituamos parecem certas, boas e ordenadas por Deus. E há uma qualidade pegajosa nisso, pois nenhum de nós é um indivíduo livre. Apesar de todo nosso desejo de ser modernos e emancipados, temos dificuldade de nos despojar de coisas.

✥ ✥ ✥

Gemer, angustiar-se e chorar são associados à rendição a respeito da qual sempre relutamos. Creio que a dificuldade da igreja em acolher *gays* e lésbicas não diz respeito tanto à sexualidade. Diz respeito a apegar-se a um velho mundo que conseguíamos administrar e no qual nos sentíamos seguros. Sempre lutamos na retaguarda contra a rendição, se não no caso dos *gays*, então dos muçulmanos, se não dos muçulmanos, então dos imigrantes, e depois dos imigrantes encontraremos novos candidatos em relação aos quais colocaremos um limite para a rendição. É uma tentação comum entre conservadores e liberais, pois ninguém que eu conheço deseja abrir mão daquilo que considera precioso.

✥ ✥ ✥

Paira no ar uma ideia equivocada a respeito de Deus que não corresponde à aliança. Ela ensina que Deus é absolutamente suficiente, inteiramente autônomo, supremamente sozinho, separado, impassível, onisciente, onipotente, onipresente, mas transcendente a todos os riscos, aflições e dores. Esse é um Deus extremamente distinto da aliança, e do qual não há boa-nova. Se queremos um Deus que permaneça impassível, e apenas vigie e governe, então é ele.

Mas vamos deixar algo claro. Esse não é o Deus da Bíblia. Também não é o Deus pelo qual esperamos. Em oposição a tudo isso, o Deus da Bíblia se compromete profundamente, de formas irreversíveis, com a criação e com a humanidade, é um Deus que faz alianças e que permanece solidário à humanidade pecaminosa, aflita e sofredora. E há tanta solidariedade nessa aliança que Deus faz com que a dor do mundo se torne a dor de Deus. E a notícia é que Deus não volta as costas para isso tudo. Isso significa que a principal característica desse Deus não é, primeiramente, onipotência, onisciência ou onipresença, mas lealdade, fidelidade, disposição de permanecer com os aflitos e defendê-los.

✢ ✢ ✢

Não podemos defender o evangelho missional e, então, usar nossa energia para tentar controlar as coisas em nossos termos. Precisamos decidir, e sempre repetir a decisão, em favor do evangelho. E, quando decidimos em favor da bondade e da generosidade de Deus, nós nos tornamos um tipo diferente de pessoas no mundo.

✢ ✢ ✢

Agora chorem! Jesus não quer dizer que devemos ficar à toa, nos lastimando. Antes, quer dizer que devemos elevar nossa voz pela tristeza do mundo no qual nosso poder cínico produz viúvas, órfãos e refugiados, investir nosso corpo na aflição do mundo, protestar em palavras e atos para que o poder transformador seja transferido de nosso corpo para aqueles que não têm recursos. O lamento não é uma bela forma de terapia burguesa. É a tristeza de Deus sobre toda Jerusalém que não conhece aquilo que produz paz. É a voz retumbante de Deus em favor dos famintos quando, na verdade, há alimento suficiente. É a indignação de Deus em favor dos pobres quando, na verdade, há casas, educação e justiça suficientes para serem distribuídas entre todos. É o gemido de Deus em favor da terra violentada, quando preferimos rir em nossa avidez em vez de nos arrepender de nossa cobiça esbanjadora. É o lento e incômodo processo divino de martelar arados e podadeiras enquanto o mundo corre para a loucura de espadas e lanças.

✢ ✢ ✢

Deus atravessa a alienação e chega ao silêncio da dor e à novidade curativa. Essa é a história do dia. Essa é a história de Jerusalém em Jeremias, de derrota, exílio e restauração. Essa é a história de Jesus, do abandono de Sexta-Feira, das profundezas de Sábado, da prontidão de Domingo. É a história que nos permite interpretar nossa história por um novo prisma. Há um tempo de perda que não deve ser evitado, há uma esperança além, e há um tempo profundo de meditação melancólica entre os dois.

✢ ✢ ✢

O mundo não será salvo por pessoas que permanecem inalteradas, imóveis. Será salvo, curado, abençoado e transformado por pessoas que recebem o imperativo evangélico de Deus e a ele atendem. Portanto, a pergunta que resta para nos perseguir é: o que precisamos deixar a fim de ir quando Deus chamar? Eis alguns exemplos: nossas maneiras de nos sentirmos seguros, os direitos que arrogamos, nossas pressuposições interesseiras, o fato de nos sentirmos tão à vontade que nossa fé se transforma em comodismo, quando cuidar de outros se torna uma questão de conveniência.

✢ ✢ ✢

A terra da promessa não está à disposição, sempre diante de nós, aguardada, sempre conquistada com esperança. No momento, temos um número grande demais de exemplos imediatos de terras prometidas conquistadas e, depois, distorcidas até chegarem a um estado de autonomia, arrogância e violência. Vá, vá mais longe, vá de modo diferente, vá. Você percebe, como eu percebo, o quão estranho, perigoso e contracultural é o discurso de Deus que transforma o mundo? Isso porque a religião popular em nossa sociedade consiste em assentar-se, em situar-se para ficar seguro e protegido, fora do alcance de toda aventura, "seguro e protegido de todo sobressalto".* Mas não com esse Deus. Não com essa fé. Não com esse povo. Não com esse pronunciamento que transformará o mundo. Portanto, resta para nós que atendemos ao evangelho, o quando, o como e o aonde ir, mesmo que não estejamos extremamente dispostos a seguir.

O imperativo sucinto e intransigente de Deus é seguido de uma promessa extensa e profunda de Deus, na qual confiamos irrestritamente. É como se Deus soubesse que ser o antídoto para um mundo disfuncional é uma missão grande, difícil, arriscada e exigente. Leva a pessoa a ser desarraigada, a perder o equilíbrio, a estar em perigo. E, diante disso, vem a promessa divina: "Eu o acompanharei. Você não está só, está comigo". Deus se alia àqueles que deixam sua conveniência e segurança a fim de exercer influência positiva sobre o mundo. O Deus da Bíblia não é radicado a um lugar,

---

* No original, "safe and secure from all alarms", trecho do hino "Leaning on the Everlasting Arms", de Elisha A. Hoffman (1839–1929) e Anthony J. Showalter (1858–1924). (N. da T.)

programa, lema, partido ou ideologia. Esse é um "Deus do povo", que vai com ele, que vai adiante.

✢ ✢ ✢

Eis o que acontece com as pessoas que levam Jesus a sério. Nada espetacular, apenas uma lenta e firme decisão de viver de modo diferente, de deixar o mundo viver de modo diferente. Primeiro, não prejudique ninguém. Segundo, perdoe. O mundo espera angustiadamente ser perdoado, sete vezes por dia, qualquer dia, todos os dias. Aqueles que perdoam provavelmente são próximos de Jesus, próximos de um chamado santo, próximos de uma vocação diferente, de uma identidade singular. Não receberemos muitos agradecimentos. Mas podemos exercer influência positiva. E isso é suficiente.

✢ ✢ ✢

Não é de admirar que, em resposta ao imperativo de Jesus, os discípulos tenham dito: "Aumente nossa fé". Torne-nos capazes de cumprir seu mandamento. Os discípulos conseguem reconhecer que a ordem para ser perdoadores é colossal e difícil. Consideram que não têm fé, coragem, ousadia para fazer o que Jesus ordena. Perdoar é tomar uma providência para quebrar os círculos viciosos de destruição que nos cercam, nos quais um dano provoca, em resposta, outro dano, até que tenhamos uma corrida armamentista na Irlanda do Norte, ou em Israel, ou no mundo, ou na igreja, ou em nossas famílias, pois revidar e acertar as contas são a ordem do dia, um espírito mesquinho comum. E, agora, Jesus diz: "Meu povo age de forma diferente a respeito de moralidade, poder, dinheiro. Não aja como o mundo!".

✥ ✥ ✥

O convite de Jesus para chorar agora e rir depois é uma promessa para você, bem como para os outros. É um convite para que você também chore agora; para que realize o ato doloroso e assustador de renunciar o mundo que você organizou, no qual vive com medo ou prazer; para que reconheça que o mundo que você junta ao seu redor corre grave perigo; para que desvie o coração e os olhos do mundo particular e restrito de competência e congruência e os volte para a dor profunda do mundo imenso que caminha para o fim; e para que encare o que significa, em seu corpo, que nossos critérios de convicção, nosso cânone de competência, nossos modos confiáveis de explicação agora foram todos desmascarados, considerados temporários e chamados a prestar contas exatas. Somos chamados a viver em sério risco, voltados para um novo mundo cuja forma ainda não vemos, mas que certamente está a caminho.

Todo adolescente imagina que a segurança depende de conquistar a primeira posição, de ser o melhor, o mais engraçado, o mais extravagante. Todo jovem representante de vendas tem de empurrar produtos e mais produtos para consolidar seu valor. Todo acadêmico tem de publicar para ser bem-sucedido, ou, como dizemos, quem não publica "se estrupica". Invente-se, ou se perderá e desaparecerá de cena. Eis uma boa notícia. Antes de você fazer qualquer coisa, conquistar qualquer coisa ou ser bem-sucedido em qualquer coisa, você é conhecido e tem um nome. Não precisa temer que será esquecido ou abandonado, que passará despercebido, pois Deus diz do mais fundo de sua garganta: "Eu o chamei pelo nome; você é meu; amo você; estou com você".

✤ ✤ ✤

Jejuar não é rejeitar alimento. É não ser seduzido pelas dádivas desta era.

✤ ✤ ✤

A maturidade é tão complicada, não é mesmo? Não nos tornamos mais maduros ao viver mais, e sim ao tomar as decisões de hoje à luz da situação e dos recursos de hoje. Maturidade não significa envelhecer e perder o entusiasmo da juventude. Maturidade não é automática, não é uma dádiva concedida a nós, mas uma tarefa da qual somos incumbidos, um convite que nos é feito. No contexto da fé cristã, maturidade não significa ser devidamente ajustado, a ponto de deixar passar certas questões sem entrar em conflito. Paulo usa uma expressão interessante para o termo que traduzimos por maturidade: ele se refere ao homem completo, medido por Cristo. O homem que chegou à idade adulta no que diz respeito a seu discernimento de quem Jesus é. Gostaria de oferecer uma definição: maturidade é ser capaz de despojar-se de algumas coisas e revestir-se de outras com graciosidade. Portanto, Paulo escreve: "Livrem-se de sua antiga natureza e de seu velho modo de viver, corrompido pelos desejos impuros e pelo engano. Deixem que o Espírito renove seus pensamentos e atitudes" (Ef 4.22-23).

✤ ✤ ✤

Nós, povo de fé, não vivemos de acordo com nossos termos. E precisamos decidir se caminharemos para o futuro de acordo com termos diferentes dos nossos.

✢ ✢ ✢

Nós, protestantes modernos, somos uma interessante contradição em vários aspectos. Com relação a algumas coisas, desejamos que as pessoas nos deem respostas e fazemos qualquer negócio para não precisar chegar à nossa própria conclusão. E, no entanto, ao mesmo tempo cobiçamos uma espécie de liberdade que nos proteja caso o livro de respostas não ofereça a resposta que desejamos. Por trás disso, contudo, encontra-se a necessidade de certeza vinda de alguém; se não da igreja, então da universidade, e agora vivemos em mundo em que toda autoridade desse tipo é, na melhor das hipóteses, precária e, na pior das hipóteses, uma fraude. Poucos de nós sabem o que fazer em um mundo em que a autoridade de todo tipo agora é radicalmente questionada.

✢ ✢ ✢

Somos chamados a colocar de lado nossos conceitos falsos e os sentimentos a respeito de nós mesmos. A ideia falsa tão promovida pelo ideal monástico — e agora, estranhamente, adotada pela filosofia da *Playboy* — nos ensinou que somos alma ou espírito, e que é nesse âmbito que enfrentamos problemas. Isso nos dá certa liberdade em relação ao corpo, pois ele não conta; logo, dependendo de como nos sentimos, podemos usá-lo indevidamente ou desfrutá-lo, mas ele não é o lugar de significado. Esse conceito de que meu corpo é desligado de mim levou a uma forma indiferente de ver a sociedade, a política, a economia e as questões fundamentais da vida. Somos chamados, contudo, a abrir mão desse ponto de vista, pois, de acordo com o evangelho, não somos espíritos ou almas, e sim corpos que precisam aceitar uns aos outros e a si mesmos.

✛ ✛ ✛

Costumamos seguir o caminho da rígida autonomia. Apenas torne-se cada vez mais bem-sucedido. Esse é um dos caminhos no mundo. No entanto, é um caminho de alienação, isolamento e, por fim, ansiedade. Reunimo-nos para perguntar sobre outro caminho, um caminho de declaração da verdade, de grata rendição, de confiante indagação, em que somos convocados e responsabilizados e em que recebemos vida que, por nós mesmos, não temos como obter.

✛ ✛ ✛

O discipulado de Jesus nos convoca para uma vida contrária a nosso modo seduzido e convencional de viver, pois nosso modo convencional consiste em evitar sofrimento, rejeitar coisas como risco e custo, rendição e perda de autocontrole.

✛ ✛ ✛

Em nossos dias, somos chamados a nos despojar de ideias falsas de bondade e piedade que exercem influência extraordinária sobre nós. Cada um de nós aprendeu desde a mais tenra infância que bondade significa manter-se afastado de certas coisas, manter-se limpo e não se envolver. Passamos a enxergar a vida toda como um desconhecido que oferece um doce, e todos nós sabemos que essa não é a situação em que se deve buscar envolvimento.

✢ ✢ ✢

Precisamos pensar de modo um tanto exato a respeito de negar a nós mesmos, pois essa é uma ideia facilmente mal interpretada e explorada em nossa cultura. A negação do eu não é sinônimo de masoquismo ou de abuso próprio, nem é fingir que somos diferentes de nossa verdadeira identidade. Não é fazer propósitos esquisitos como, por exemplo, jejum de melancia durante a Quaresma; também não significa ter uma cara azeda, uma expressão solene, como se Deus se agradasse de acolhermos a infelicidade. A igreja em nosso país tem um triste histórico de confundir discipulado e negação de si mesmo com censura moralista da alegria e da plenitude de vida. Não, a negação sobre a qual Jesus fala é um modo de vida que acredita que autonomia, autossuficiência e autossegurança não são capazes de produzir verdadeira alegria ou genuína felicidade, nem de nos conduzir à nossa verdadeira e mais excelente identidade.

Somos continuamente estimulados por nossa cultura a imaginar que *podemos* nos tornar plenos com todas as nossas magníficas aptidões, ou que devemos nos tornar plenos para que permaneçamos no controle de nossa vida e de nosso destino. E suspeito que essa tentação de confiarmos em nós mesmos seja mais intensa no Ocidente em razão de nossa capacidade tecnológica (boa parte da qual dedicamos a armamentos) usada na busca por proteção, e mais intensa entre os abastados, pois temos mais acesso e imaginamos que podemos comprar, usar e controlar todas as coisas ao nosso alcance no mundo. Ademais, em nosso autoengano tecnológico, nós nos isolamos, desconsideramos o próximo, nos esquecemos de como cuidar de outros, de como ser generosos e compassivos, e nossa humanidade termina em destruição mortal. A perda da preocupação com o próximo, preocupação que nos leva a correr riscos, produz inúmeras patologias, entre elas o crescimento da violência que sempre acompanha essa perda.

✢ ✢ ✢

Negar significa romper com as tentações tão convencionais em nosso meio. Significa romper intelectualmente com o excesso de convicção, como se já conhecêssemos todas as soluções; romper culturalmente, o que torna necessário abrir mão de nossa percepção de superioridade; romper politicamente com nossos conceitos de segurança e vantagem; romper economicamente com nossa competência para produzir um ambiente sem surpresas e sem intromissões. Negar significa entender e aceitar que, em nosso cerne, nascemos para o mistério que abarca dádiva e custo, ameaça e surpresa. Deus realiza sua obra pascal transformadora exatamente no meio daqueles que abrem mão do autocontrole em troca do hiato da misteriosa dádiva de vida que Deus concede. A ideia de autocontrole precisa ser negada a fim de recebermos a vida como uma dádiva, pois a vida como uma dádiva é a única vida que pode ser plena, alegre e realizadora.

✢ ✢ ✢

Nós no Ocidente conquistamos quase tudo: quase todo o dinheiro, todo o conhecimento, todos os mercados, todas as técnicas. E estamos quase desprovidos de alma. Aquilo que conquistamos em nossa glória sem cruz não é nada em comparação com o que perdemos.

✤ ✤ ✤

A Bíblia não é mórbida, mas ela crê que devemos pensar seriamente em nossa morte a fim de viver bem nossa vida. Do ponto de vista bíblico, a morte não é algo plano, unidimensional, e consequentemente a vida também é uma possibilidade rica e complexa. Na fé bíblica, morte e vida vêm a significar algo que o mundo não compreende com facilidade.

✤ ✤ ✤

É sempre exigido dos crentes que realizem duas ações. A primeira ação é reconhecer honestamente a profundidade da crise: nada de negar, fingir, encobrir. A segunda ação é esperar, confiar, sujeitar-se, gritar de dor e suplicar. A segunda ação é abrir o lugar de perda para o poder de Deus. E, onde somos capazes de praticar essa abertura honesta, Deus vem. Deus pode atuar contra nossa dificuldade, nossa perda, nossa derrota. Na Bíblia, morrer significa chegar ao fim de todos os nossos recursos e deixar de nos importar. A vida vem depois que nossos recursos falham. Há outros recursos disponíveis além dos nossos, que nos movem para além de nós mesmos, para a energia, a liberdade e a alegria de Deus. Essa é uma boa notícia que só vem no meio de nossa profunda honestidade a respeito da derrota.

✤ ✤ ✤

De que devemos nos desvencilhar? Bem, imagino que, em vários aspectos, devamos nos desvencilhar do privilégio que desfrutamos de longa data e de nossa aceitação de direitos privilegiados. Esse privilégio é bastante masculino, branco, ocidental e controla as colônias para nosso benefício. Imagine, porém, ver com olhos evangélicos que o mundo de privilégio no qual nos fiamos por tanto tempo agora foi esvaziado de suas velhas possibilidades. Podemos sentir a perda do velho mundo e ousamos imaginar que é uma subtração realizada por Deus.

✣ ✣ ✣

Paciência não é resignação. Não é dizer com cinismo: "Precisamos aturar o que acontece". Não, paciência é a capacidade de permanecer fiel a uma visão, trabalhar nela o tempo todo, diariamente, mesmo quando as probabilidades são adversas. Aqueles que seguem Jesus mais de perto sabem que realizam um trabalho árduo, contra probabilidades adversas, contra injustiça, insensibilidade e violência, mas não desistem. Essa paciência fundamentada na bondade de Deus precisa abarcar uma dimensão de impaciência pronta a por vezes dizer: "Já chega. Essa situação precisa mudar". A mistura de paciência e impaciência sabe que estamos comprometidos em longo prazo, à espera da vinda do governo de Deus em sua plenitude, mas aguardando com diligente expectativa.

✣ ✣ ✣

Sabemos da importância fundamental do luto, mas precisamos encontrar maneiras de permitir que o luto toque toda a dor. Uma patologia ideológica séria em nosso meio é a prática de contermos o luto em realidades pessoais de culpa e em medidas individuais de dor. No entanto, o luto une todos nós, oprimidos e opressores, vítimas e perpetradores, e somos levados a lágrimas comunitárias que transcendem nossas lágrimas pessoais para chorar pelo mundo todo.

✢ ✢ ✢

Precisamos enfrentar o resultado evangélico de lágrimas verdadeiramente derramadas. Nosso trabalho de luto não leva apenas a uma nova estaca zero sem empecilhos, como se agora fôssemos recomeçar. Antes, leva-nos a um novo movimento da outra parte, da parte de um Deus que tem propósitos para a vida, que age e toma a iniciativa e que, com uma espécie de conclusividade retórica, pode dizer: Eu planejei; acontecerá. Eu determinei; permanecerá. Eu anunciei; quem resistirá? E, em resposta, há profundo silêncio, pois os poderes derrotados se calam. Deus cumprirá sua vontade. E temos o privilégio de agir no novo espaço desse decreto soberano, pessoas inteiramente novas que se regozijam ao longo do caminho.

12
Práticas fiéis

Somos aqueles que se reúnem regularmente para dar graças. Chamamos isso de Eucaristia, em que nos reunimos à mesa de ação de graças e comemos e bebemos em gratidão por todos os pulsos de nova vida produzidos por Deus neste mundo permeado pela Páscoa.

✠ ✠ ✠

Pão é o elemento-chave de nossa fé e, portanto, de nosso trabalho:

Pão diz respeito a todo um ecossistema de criação, desde o uso adequado da água e do solo até a produção de boas sementes.

Pão diz respeito ao alimento mais básico de toda a dieta humana, em todas as culturas, em todas as classes econômicas. É a garantia concreta de que a vida humana pode ser sustentada, não obstante condição social ou recursos, com a consciência de que, quando ele não é compartilhado, a vida humana corre perigo.

Pão, do tipo que vemos ser abençoado e partido quando estamos reunidos à mesa da Ceia, é um sinal de que a substância mais elementar da terra é infundida de Mistério Sagrado. Portanto, cabe a nós ver como a generosidade vivificadora do céu está operando nos apetites carentes de vida da terra, uma questão própria para figuras teológicas como nós.

Pão, no linguajar mais grosseiro das ruas, significa obviamente "dinheiro", e por meio dessa referência somos introduzidos no âmbito da economia, de crédito e dívida, hipotecas e taxas de juros, orçamentos e incentivos fiscais, do gerenciamento do mercado e do alto preço do cuidado pelo próximo.

✤ ✤ ✤

O batismo é um ato básico na igreja, talvez o ato básico que antecede e define todo o restante na igreja: é um ato de água e palavra que representa a vinda de Deus até nós em nossa necessidade, tornando-nos autênticos, estimados como a pupila dos olhos de Deus. É um ato em que somos situados no evangelho, recebemos identidade e valor que o mundo não pode dar para nós nem tomar de nós. É sinal de uma promessa de Deus, de que Deus será por nós e nos dará um bom futuro, apesar de todas as nossas imperfeições. E é um ato de solidariedade, por meio do qual somos inseridos profundamente no corpo da igreja com muitos irmãos e muitas irmãs, alguns como nós, outros bem diferentes. E é um ato por meio do qual somos marcados como membros desse corpo, filhos amados e preciosos de Deus.

✤ ✤ ✤

A prática visível do descanso sabático que nos dissocia da busca por bens é uma asserção insistente a respeito da natureza do ser humano. A pausa para receber as dádivas sagradas inescrutavelmente concedidas é um intervalo no rigor da produção e do consumo. Separar tempo para ser humano é um nítido contraste com a compulsão da vida que gira em torno de aquisição, em constante busca por lucro, que termina em cansaço sem energia para um modo de vida compassivo.

A prática da oração que nos liga em amor a Deus e a nosso próximo e transcende nosso escasso direito é a firme decisão de viver de acordo com termos diferentes dos nossos. Essa sujeição à grandeza do domínio de Deus é um desafio para boa parte de nosso tribalismo, pois nosso tribalismo convencional limita o âmbito de interesse e nos ensina que ceder é ser derrotado.

Na prática cristã, temos uma forma de marcar o milagre de receber nome e garantia para toda a eternidade pelo próprio amor de Deus. Chamamos essa marca de batismo. Não é mágico, mas é um sacramento. Em outras palavras, é um gesto poético profundo que expressa algo difícil de dizer ou de crer. No adulto ou na criança, nós o realizamos com água e palavra; celebramos o recebimento de um nome como "filho da promessa", que derrota todo medo. Os que são submersos nas águas do batismo vêm à tona destemidos, pois a ameaça de ser esquecido, abandonado, perdido, exilado, é vencida pelas águas.

O louvor é uma declaração de que a vida está aberta, de que a compaixão é possível, de que há recursos além do eu e novidade ainda a ser concedida que excede nossa imaginação. Está acontecendo em nossa cultura algo que impede o cântico sério. Podemos nos contentar com *jingles* de televisão e outros clichês vazios, mas o verdadeiro cântico parece ter sobre si um cobertor, que abafa a voz a um sussurro. Ou imaginamos que devemos contratar pessoas com uma voz mais bonita para cantar por nós, mas o louvor nunca é um esporte para espectadores. O grande inimigo do louvor em nosso tempo é a desesperança, a sensação de que: a novidade não é possível; aquilo que foi, será; não existe nada de novo debaixo do sol; o que existia para ser dado, já foi dado; a vida consiste em mover as peças de um lado para o outro melancolicamente; a vida é, em sua essência, uma ação desesperada de segurar-se, na qual a possibilidade se fechou e a imaginação foi sufocada.

O louvor é uma pergunta para a igreja. Você acredita que a vida é aberta para milagres e dádivas que não são gerados por nós? Aliás, a igreja faz bem em estruturar sua vida para ver se é capaz, por amor ao evangelho, de se organizar contra a desesperança em uma comunidade de esperança que entoa cânticos.

✤ ✤ ✤

Esvaziamos nossa vida comum de liturgia séria. Até recobrarmos o poder de nossas metáforas específicas de comunidade, contudo, restam-nos apenas as liturgias das coletivas de imprensa, do futebol profissional e dos programas religiosos na televisão. Jeremias e Segundo Isaías se esforçam para recuperar a imaginação de Israel. Somente nossa imaginação compartilhada nos permite ingressar na dor e na esperança de Deus e, então, ser transformados. E, quando abandonamos a imaginação compartilhada característica da igreja, dobramo-nos para as curas superficiais e o luto sem esperança do mundo. No entanto, foi-nos confiado algo mais, algo que transcende prioridades particulares, controladas, e que alcança a grande dor cósmica e a magnífica e nobre dádiva de Deus.

✢ ✢ ✢

A tarefa e o objetivo do culto, acompanhado do ensino e do cuidado pastoral, é deslocar nossa vida da versão dominante da realidade para a sub-versão a fim de que nossas velhas convicções sejam subvertidas pela obra do Espírito. Pelos parâmetros da versão dominante, a vida na sub-versão é vulnerável, tola e desprotegida. Em última análise, porém, a sub-versão não pode ser julgada pela versão dominante. Em última análise, ela é julgada pela verdade do evangelho, pela realidade do Deus que atestamos e pela verdade de nossa vida à imagem desse Deus. A versão dominante nos seduz continuamente para longe dessa verdade; por isso, voltamos repetidamente ao culto a fim de recitar e receber essa sub-versão, a verdade a respeito de nossa vida e a verdade a respeito do mundo.

O Sábado — discipulado verdadeiro, concreto, visível e regular — é um sinal. Representa uma vida alternativa. É um convite para sincronizar nossa ação pública com nosso ser interior para que não haja ranger de dentes, ódio de nós mesmos ou sensação de fracasso. No entanto, é mais que congruência pública e pessoal; o Sábado é um convite para que nossa ação pública e nossa meditação pessoal estejam em sincronia com nossa verdadeira identidade no evangelho:

> Para vir a confiar na fartura garantida que caracteriza nossa criação;
> Para aceitar a liberdade concedida à qual nossa cultura resiste.

✤ ✤ ✤

Que a igreja seja uma comunidade de louvor. Essa comunidade tem Aquele que é digno de louvor. Louvamos Aquele que nos formou, que nos forma, que cuida de nós e se importa conosco mais do que nos importamos com nós mesmos. Quando esse louvor é verbalizado, não constitui apenas atividade retórica ou dramática, nem cura própria por meio da psicologia. Esse louvor é importante, pois reconhece que céu e terra são moldados e posicionados de determinada forma. Aquele que é louvado na verdade é tão importante quanto aqueles que louvam. Podemos confiar o bem-estar da comunidade, a segurança da vida comum, a proteção de nossa sociedade Àquele que é louvado, Àquele que é louvado é fiel a todas as gerações, o que inclui a presente geração. Esse fato permite que deixemos de lado nossa desesperança. O louvor nos afasta da desesperança e nos volta para a generosidade e compaixão e, por fim, para o acolhimento da justiça e da retidão no mundo.

Deus resolve entrar na caótica realidade conflituosa da história humana. Ao assumir esse compromisso, Deus evita um sobrenaturalismo fácil e se encarrega das tarefas difíceis da história. Deus rejeita qualquer gnosticismo confortável e se envolve na realidade encarnada do amor. Deus recusa o docetismo e diz que a vida do corpo social é a vida real. E essa é a vida de árduo trabalho histórico, de atos de justiça, demonstrações de misericórdia, práticas de compaixão, um caso de cada vez.

✤ ✤ ✤

O propósito do evangelho é que pessoas gratas vivam de forma diferente no mundo:

- É propósito do fiel Salvador que, em uma sociedade de ressentimento, desejosa de vingança, esse povo estimado pratique perdão, pois fomos perdoados.
- É propósito do fiel Salvador que, em um mundo de parcimônia e escassez, esse povo contado como os cabelos da cabeça pratique generosidade sem fim, compartilhando de boa vontade, sem precisar guardar para si mesmo.
- É propósito do fiel Salvador que nossa sociedade de exclusivismo, desejosa de afastar todos que não são como nós, pratique a hospitalidade, a aceitação aberta dos que são diferentes de nós.
- É propósito do fiel Salvador que, em um mundo de ganância exploradora, o povo protegido se importe com questões concretas de justiça, com moradia, saúde, reforma do sistema penitenciário e toda a lista de questões do evangelho que nos chamam para além de nós mesmos.

✛ ✛ ✛

Generosidade. Hospitalidade. Perdão. Quando tomamos a firme decisão de viver desse modo, a comunidade é transformada.

Não preciso lhe dizer, porém, que não é dessa forma que o mundo interage conosco:

- O mundo não é generoso. A tendência do mundo é ser parcimonioso e avarento, não compartilhar, mas cada um correr atrás do próprio lucro. E os cristãos são chamados à generosidade exatamente nesse mundo de egoísmo.

- O mundo não é hospitaleiro; na verdade, deseja expulsar todos que são diferentes de nós. Isso significa que nações transformam em refugiados aqueles que precisam ser expulsos, e ficamos extremamente apreensivos em relação a imigrantes em nosso meio, especialmente quando reivindicam algum direito entre nós. E, até pouco tempo atrás, até mesmo os presbiterianos agiam como se *gays* fossem desconhecidos que deviam ser excluídos. Sentimo-nos ameaçados por aqueles que são diferentes de nós, e em um mundo como esse os cristãos são chamados a oferecer hospitalidade.
- O mundo é um lugar de vingança implacável em que você recebe o que merece, e nada mais; na retaliação, não existe almoço grátis, nem espaço aberto, nem compaixão. Em um mundo cruel e calculista como esse, os cristãos são chamados a quebrar esses ciclos com atos generosos de perdão.

✤ ✤ ✤

O mundo que Cristo segura em sua mão é um mundo cheio de gratidão, que sempre conhece, expressa e pratica ações de graças. O Pai nos concedeu uma porção do novo mundo, a dádiva que continua a dar. A gratidão é o ato de devolver nossa vida ao Deus de todas as dádivas.

✤ ✤ ✤

O culto cristão é um ato de imaginação humana que verbaliza e defende uma percepção da realidade vivida de acordo com o evangelho e insiste nessa percepção. A essência do culto consiste em contar a história na forma de várias histórias menores, todas elas com Javé como personagem principal. O propósito dessas narrativas de acontecimentos miraculosos passados é justamente levar a congregação contemporânea, muito tempo depois, a participar de modo mais direto possível em um mundo de fidelidade miraculosa do qual os textos dão testemunho e no qual Javé habita sem sombra de dúvida.

✤ ✤ ✤

O Sábado quebra o grande ciclo de contrastes e diferenciações sociais. O descanso sabático, a suspensão do trabalho, não exige nenhum equipamento caro, como é o caso da prática de polo equestre, mergulho com cilindro, ou rapel. Apenas pare. Apenas respire. Apenas espere. Apenas descanse. Apenas receba. Apenas aceite a vida como dádiva. E faça-o com espantosa igualdade, pois ao olhar ao redor verá que criaturas de toda espécie — bois, jumentos e outros animais domésticos, zebras, pandas, carvalhos e cardos — interrompem a rotina de produção.

✤ ✤ ✤

A prática do culto fiel, tão conhecida para nós, é mais singular do que imaginamos. Em tempos recentes, a igreja abriu mão de muita dessa singularidade numa tentativa sedutora de ser atual, popular, alternativa ou interessante. Proponho que é uma das grandes tarefas da igreja receber, reconhecer e atender à singularidade de nosso singular Parceiro sagrado.

O culto é um ato de imaginação poética que tem como objetivo reinterpretar o mundo. É um ato de imaginação;

com isso, quero dizer que apresenta a realidade vivida por meio de imagens, figuras e metáforas que desafiam nossas estruturas convencionais de plausibilidade e abrigam possibilidades alternativas de realidade que transcendem nosso campo conceitual convencional. Esse ato de imaginação que oferece um mundo alternativo é, necessariamente, um ato poético, ou seja, é concedido a nós em vestígios e indícios lúdicos, que chegam a nós obliquamente e não se conformam a nenhuma de nossas categorias habituais de entendimento ou de explicação. A prática dessa imaginação poética que nos convida de forma lúdica a uma realidade alternativa tem raízes profundas em textos antigos, memórias antigas, práticas antigas; não obstante, existe imaginação contemporânea disciplinada e instruída para sustentar a visão alternativa.

A glória de Javé não é simplesmente religião insípida, comum ou entusiasmada. A declaração da glória de Deus é sempre uma contradeclaração. Não é apenas a favor de Javé, mas também é categoricamente contrária a outras coisas. Não sabemos a favor de que cantar se não entendemos contra o que cantamos. A glória de Deus não é entoada em um vácuo, mas em um contexto no qual há muita coisa em jogo.

Nossa vida deve ser semelhante à vida de Deus: sujeita a fraqueza sem negação, solidária à humanidade em suas necessidades, generosamente profusa com o que temos, pronta a tratar outros com brandura. Precisamos reaprender que a não violência é o caminho para o bem-estar, e que a violência da guerra, da pena capital, dos ataques econômicos aos pobres, da raiva no trânsito, é o caminho para a morte; a generosidade cria proximidade, enquanto a ganância produz hostilidade e alienação; a lenta presença pessoal, face a face, produz felicidade, e isso é algo que não conquistamos por meio de competição.

✣ ✣ ✣

A obediência evangélica não é coerciva. É mais semelhante a um amor novo e extasiado em que se busca a vontade do amado, desejoso de agradar, considerando essa obediência o mais puro prazer e alegria, mesmo que gere inconveniência, custos, interrupções e incômodos.

✣ ✣ ✣

A santidade da igreja não consiste em verdadeira doutrina que todos aceitam. Não consiste em verdadeira moralidade que todos adotam. Sabemos, evidentemente, que a igreja muitas vezes se especializou em doutrina e moralidade. A verdade, porém, é que a santidade da comunidade batizada consiste nos hábitos de generosidade, graça ao falar e perdão bondoso. Imagine essa lista de prioridades para a igreja: generosidade, graça, perdão. Essas são as marcas do batismo, essas são as marcas de Jesus, esses são os contornos de nossa nova vida em Cristo. A verdade da igreja, dramatizada no batismo, é que nossa vida está tão segura que podemos confiar em nós mesmos no mundo. E, quando o fizermos, o mundo verá nossa santidade, nossa retidão, nossa vida em Deus. É isso que somos. Estes somos nós! E não somos parecidos com eles, pois nossa vida de generosidade, graça e perdão é à imagem de Deus. Por meio de nossa vida, Deus é honrado e o mundo é curado. Estes somos nós!

✣ ✣ ✣

O diálogo batismal não é desonesto a respeito de nossa dor, não nos ilude a respeito de nosso fracasso, não nega a violência que nos cerca e da qual fazemos parte. No entanto, a conversa batismal coloca no meio da dor, do fracasso e da violência uma palavra pronunciada sobre nós, pronunciada antes de nós, pronunciada contra nós, pronunciada a favor de nós. Essa palavra é *hesed*, o amor inabalável de Deus que excede nossa dor, ultrapassa nosso fracasso, supera nossa violência, vence nosso pecado. No fim das contas, porque essa outra palavra é verdadeira, nossas palavras são transformadas. Nossas palavras agora são discurso sério, pronto com esperança e confiança para uma nova obediência. O batismo é uma decisão de cessar a preocupação impensada do mundo e voltar o foco para como o mundo será quando o refizermos no molde da fidelidade.

✣ ✣ ✣

O faraó assume várias formas. Imagine o faraó como pai ou mãe vigilante, que morreu há muito tempo, mas continua a vigiar. O faraó como os colegas mais competentes que nós que elevam estratosfericamente as expectativas e, em razão de sua simples existência, nos chamam a uma excelência maior do que alcançamos até aqui. O faraó como alguém que dá aprovação, mas apenas raramente, e sempre de modo relutante e de má vontade, levando-nos a aumentar nossa própria cota para satisfazer a avaliação de desempenho. A igreja como faraó que nunca diz: "Muito bem, entra no meu descanso". Em vez disso, mantém diante de nós uma lista interminável de deveres, e todos os dias assumimos a função de capatazes.

Imagine também o Sábado. Imagine o Sábado como a quebra do ciclo de coerção. Imagine o Sábado como o grande dia de igualdade em que todas as criaturas de Deus sentam-se tranquilamente esperam, e recebem dádivas de cura, sustento e bem-estar. É prometido a nós que esse Deus da graça constitui uma convocação para uma forma diferente de administração do tempo no centro da qual se encontra o descanso. A obra do Deus criador-redentor é realizada, embora esse Deus do Sábado seja como você quando descansa, quando não tem pressa e não se perturba.

Imagine a igreja como comunidade que guarda o Sábado em nítido contraste com o mundo de produtividade. Imagine que os camponeses estão vigiando, à espera do sétimo dia, e nós o exemplificamos. Imagine que os grandes protagonistas, coagidos pelo próprio sucesso, também se perguntam se há alternativa, e imagine o clero como líderes que corporificam e exemplificam a realidade do descanso radicado no amor de Deus que entrega a si mesmo, esse Deus que é uma alternativa vigorosa, vivificadora para todo faraó.

✢ ✢ ✢

O Criador promete e garante fartura, e o Sábado é o dia em que nos deleitamos nessa fartura como dádiva que não precisamos realizar, ter, adquirir ou alcançar, pois é dádiva!

✢ ✢ ✢

A prática do Sábado consiste em quebrarmos a negação e nos tornarmos "aqueles que dizem a verdade", pois a verdade nos dará liberdade sabática.

- Diga a verdade, livre de rancor ideológico, sobre a dor do mundo, pois é por meio da verdade da dor na cruz que o mundo é salvo.
- Diga a verdade sobre a dor dos escravos de outrora submetidos a silêncio no Egito, e sobre toda a história de escravidão até a dor contemporânea da servidão econômica, da exclusão racial e do egoísmo de gênero.
- Diga a verdade sobre a dor da destruição de Jerusalém por meio de programas político-militares obtusos e arrogantes e sobre toda a história de autodestruição praticada por meio de arrogância militar.
- Diga a verdade sobre a dor do exílio, do deslocamento e do luto, sobre toda a história de refugiados e exilados que sofrem em razão de seu não pertencimento. E, depois, sugira que até mesmo nós, em nossa dor, estamos entre esses deslocados.
- Diga a verdade sobre os salmos de lamento, a ausência de Deus e a indiferença de Deus que contradizem as declarações do catecismo, uma ausência e uma indiferença conhecidas em toda parte em uma igreja honesta.
- Diga a verdade e você acabará com o poder da negação, com a necessidade frenética de colocar tudo em ordem, com a ansiedade de aumentar a fartura "inadequada" da criação.

Estamos sempre, como Jesus, diante do governador que fez a pergunta célebre: "O que é a verdade?". Eis a verdade retida dos sábios e entregue às criancinhas: a dor é a matriz da novidade. Diga a verdade sem uma atitude protetora e piedosa, sem reducionismo ideológico, seja fiel ao texto, diga a verdade e você perceberá a exaustão desvanecer à medida que você é honesto com Aquele que é a verdade, o caminho e a vida, um caminho de dor, uma vida de vulnerabilidade.

✢ ✢ ✢

Consideramos as orações algo extremamente fácil e rotineiro, mas deveríamos observar como a oração é um ato ousado e revolucionário. Oração não é abdicação piedosa. É uma manobra ousada por meio da qual o locutor quebra os conceitos de dificuldade e despedaça o mundo fechado das ameaças. É uma alternativa desafiadora a afundar nas águas profundas. Em um mundo em que só eu existo, a oração é um ato audacioso de insistência que não faz sentido. As únicas pessoas capazes de realizar esse ato ousado de orar são aquelas que sabem que o mundo é visitado, cuidado e ocupado por nosso Defensor que tem poder para vencer a morte.

Compartilhe suas impressões de leitura,
mencionando o título da obra, pelo e-mail
opiniao-do-leitor@mundocristao.com.br
ou por nossas redes sociais

Esta obra foi composta com tipografia Janson Text
e impressa em papel Pólen Natural 70 g/m² na gráfica Eskenazi Digital